TEXT *Djame*

4L02.95 AP

EL COLOR DE NUESTRA PIEL
Pieza en tres actos

D1176529

Celestino Gorostiza

EL COLOR DE NUESTRA PIEL

EDITED BY

Luis Soto-Ruiz

MARQUETTE UNIVERSITY

AND

S. Samuel Trifilo

MARQUETTE UNIVERSITY

THE MACMILLAN COMPANY

COLLIER-MACMILLAN LIMITED · *LONDON*

© Copyright, The Macmillan Company, 1966

All rights reserved. No part of this book may be reproduced or utilized in any form or by any means, electronic or mechanical, including photocopying, recording or by any information storage and retrieval system, without permission in writing from the Publisher.

Library of Congress catalog card number: 66–25504

The Macmillan Company
Collier-Macmillan Canada, Ltd., Toronto, Ontario

PRINTED IN THE UNITED STATES OF AMERICA

printing number
5   6   7   8   9   10

Preface

CELESTINO Gorostiza, one of Mexico's foremost living playwrights, has for many decades been actively associated with the Mexican theater. He has made numerous contributions as an organizer, as a promoter of new ideas, and as a vital and aggressive champion of a "national" theater that would reflect the essentially *Mexican* nature of his people.

Gorostiza's impact has been felt on the stage itself as well as behind the scenes. As a playwright he has distinguished himself as one of Mexico's most able contemporary realistic dramatists. His most celebrated play to date has been *El color de nuestra piel,* a drama which takes up the subject of prejudice in present-day Mexican society.

This play, first produced in 1952, offers several attractive features to the reader. The basic dramatic conflict is drawn in large, life-size terms; the characters are well defined through their speeches and the position of each in the scheme of the play is at once evident; the plot and subplots are clearly and distinctly developed. Moreover, the theme of the play, which reaffirms the fundamentally *mestizo* identity of the Mexican people, touches on a broader question of large and immediate concern to Americans—that of racial discrimination.

These merits, we feel, provide ample justification for the inclusion of Celestino Gorostiza's *El color de nuestra piel* in the Macmillan Modern Spanish American Literature Series.

DONALD A. YATES

Contents

Introduction

The Theater in Mexico

$\mathcal{T}$HE modern Mexican theater has developed relatively recently. Throughout the Colonial period, the whole of the nineteenth century, and the first quarter of the present century, the theater in Mexico was influenced largely by Spain. Not only were the theaters fashioned after those of Spain, but many of the plays had Spain as their setting. Even the actors, in their effort to sound as much like Spaniards as possible, used the Castillian pronunciation.

In the early years of the twentieth century, plays dealing with local customs, characterized still by romantic tendencies, were very popular. During that period, the works of Federico Gamboa (1864–1939) and Marcelino Dávalos (1871–1923) enjoyed great popularity at the box-office.

The second decade of the twentieth century found Mexico engaged in bloody revolution. Serious theater was set aside in favor of lighter forms of entertainment—the *género chico* (consisting of frivolous one-act plays), the *sainete lírico* (a short musical comedy), and the *zarzuela* (a form of operetta). The *revista* (musical revue) also came into its own with such works as *El tenorio maderista* by José F. Elizondo and J. Rafael Rubio, which depicted typical Mexican scenes, types, and customs.

With the appearance in 1925 of the so-called *grupo de los siete autores*—composed of Francisco Monterde, José Joaquín Gamboa, Víctor Manuel Diez Barroso, Carlos Noriega Hope, Ricardo Parada León, and the brothers Carlos and Lázaro Lozano García—the Mexican theater began to acquire definite national characteristics.

1

It began to lose its *costumbrista* and regional qualities, and as stated by Francisco Monterde, *A lo regional del teatro costumbrista precedente, [el grupo] opuso de preferencia el medio urbano, y a lo hispanizante e indigenista . . . lo criollo.*[1] In scarcely half a year the Mexican theater public was able to see more plays dealing with Mexican themes than during the entire previous quarter century. In addition, *el grupo de los siete autores* undertook the task of introducing to the Mexican audiences some of the outstanding European playwrights whose works had never been performed in Mexico. Among those who were unknown in Mexico at that time were Anton Chekhov (Russian), John Galsworthy (English), Gerhart Hauptmann (German), George Bernard Shaw (Irish), August Strindberg (Swedish), Henri Lenormand (French), and Eugene O'Neill (American).

However, it was not until 1928 that a truly contemporary theater existed. In that year two dynamic young poets, Salvador Novo and Xavier Villaurrutia, were collaborating as editors of a vanguard literary magazine entitled *Ulises*. Now joined by a small group of serious, dedicated theater lovers, they formed the experimental theater group called *Teatro Ulises*. One of their members was Celestino Gorostiza, the author of *El color de nuestra piel.*

Celestino Gorostiza (1904–   )

Born in Villahermosa, Tabasco, Mexico, on January 31, 1904, Gorostiza received his early education in the towns of Aguascalientes and Querétaro. Later, he was sent to Mexico City where he attended the Escuela Nacional Preparatoria and the Colegio Francés. Although he did not earn a university degree, Gorostiza has been the recipient of numerous academic honors, including his election in 1958 to the distinguished Academia de la Lengua Mexicana.

---

[1] Francisco Monterde, Introduction to *Teatro mexicano del siglo XX* (México, D.F.: Fondo de Cultura Económica, 1956), I, p. xxvii ("criollo" here means "Mexican").

At an early age he became interested in the artistic medium that was to become his life's passion—the theater. When the *Ulises* group was formed, Gorostiza participated enthusiastically as actor and director, as well as translator. Before leaving *Ulises,* Gorostiza had translated into Spanish works by the French playwrights Jean-Victor Pellerin, Henri Lenormand, and Marcel Achard, together with those by Eugene O'Neill and the Hungarian writer, Ferenc Molnar, among others.

Though the *Teatro Ulises* consisted of just fifty seats in a crowded, dingy hall, its aspirations were noble and lofty. Gorostiza called it *teatro de vanguardia,* and Villaurrutia referred to it as *exótico, porque sus aciertos venían de afuera.*[2] The innovators of *Ulises* were interested in universal themes. Having read and translated the European masters, they were anxious to display the same methods and techniques in their own works.

Following the disbanding of the *Ulises* group in 1929, Gorostiza accepted a position with the Secretaría del Conservatorio Nacional de Música, and the following year his first original theatrical work, a one-act play entitled *El nuevo paraíso,* made its appearance.

Though the *Teatro Ulises* had not been a financial success, it had had the effect of stimulating interest in good theater. In 1932, under the patronage of the Secretaría de Educación Pública, Gorostiza founded a new theater group which was called *Teatro de Orientación.* From this venture emerged such fine actors and actresses as Rodolfo Landa, Josefina Escobedo, Carlos López Moctezuma, Carlos Riquelme, Isabela Corona, and Clementina Otero. In the four years of its existence, *Orientación* brought to Mexico City some of the world's greatest plays. In addition to Greek drama and the theater of the Spanish *siglo de oro* masters, *Orientación* produced plays by American, English, Irish, French, Italian, and Russian dramatists. This theater group also encouraged the performance of works by Mexican playwrights. Among these were two plays by Gorostiza himself, *La*

---

[2] Antonio Magaña Esquivel, Introduction to *Teatro mexicano del siglo XX* (México, D.F.: Fondo de Cultura Económica, 1956), II, p. viii.

escuela de amor (1933) and *Ser o no ser* (1934). Both these plays are examples of experimental theater in that they deal with such abstract themes as the subconscious and psychic versus physical time.

Severing his connection with the *Teatro de Orientación,* Gorostiza became director in 1937 of the María Teresa Montoya theatrical company. Two years later he published in *Letras de México* his play *Escombros del sueño,* which appeared on the stage under the title *La mujer ideal.* This play marks a transition from his abstract period to his period of realism, an approach which he cultivated exclusively thereafter. Starting in 1942, Gorostiza took over the directorship of the *Compañía Cinematográfica Latinoamericana.* In 1943 he was responsible for the founding of the *Academia Cinematográfica de México,* which he headed until 1951.

His association with the *Instituto Nacional de Bellas Artes* (or INBA, as it is popularly called) began in the year 1951, when he was named Professor of Theater Direction in the *Escuela de Arte Teatral* sponsored by the Instituto. From 1952 until 1958 he occupied the position of *Jefe del Departamento de Teatro* of INBA, and the following year, he was named *Director General* of the same organization, a position he held until January, 1965.

Gorostiza's most successful play, *El color de nuestra piel* appeared in 1952 and earned for its author the coveted Juan Ruiz de Alarcón prize, awarded by the *Asociación Mexicana de Críticos Teatrales.* In 1955 he wrote *Columna social,* a social satire aimed at the *nuevos ricos* of his country. His last play to date, *La leña está verde,* was performed in October, 1957. Published in 1958 under the title *La Malinche,* this play, believed by some to be Gorostiza's best, deals with the Mexican conquest. The title refers to the Indian girl, Malinche, who abandoned her own people to accompany the man she loved, the conquistador Hernán Cortés.

Gorostiza's contribution to the development of Mexican theater has been significant. First as collaborator of the innovating *Teatro Ulises* and then as founder and director of the *Teatro de Orientación,* Gorostiza has done much to set the course of the contemporary Mexican theater.

The Play

El color de nuestra piel is a thesis play dealing with *mestizaje,* the centuries-old Latin American problem that originated in the fusion of Spanish and Indian blood. The play has been referred to as *obra de tema polémico,*[3] and when first performed, it was the subject of considerable controversy. Some critics believe that the author poses a problem that does not exist in modern Mexico.[4]

Actually, the author does not totally disagree with this point of view, for in a letter to the present editors he writes, *La cuestión racial fue un problema en México nada más durante la época colonial . . . Después de la independencia, abolida la esclavitud y declarada la igualdad de todos los hombres, el problema ha venido desapareciendo paulatinamente . . .*[5] Nevertheless, Gorostiza continues, *. . . subsisten casos aislados de familias y de individuos que sin atreverse a confesarlo, alimentan frente a los blancos,*[6] *y muy especialmente frente a los extranjeros, un secreto complejo de inferioridad a causa de la mayor o menor oscuridad de su piel que pretenden ignorar o hacer desaparecer, si no en ellos mismos, cuando menos en sus descendientes. El problema, pues, subsiste en México y en otros países latinoamericanos, meramente como un problema sicológico, y es en ese sentido como yo lo he tratado en* El color de nuestra piel.

Gorostiza goes on to say that his play does not pretend to offer solutions to this problem. His modest objectives have been *el de exponer el aspecto en que yo considero que existe en la actualidad en México, aun cuando muchos mexicanos rechacen indignados su existencia.*

El color de nuestra piel is superbly constructed. Its dramatic interest depends on a mood of suspense established early in the first act and

---

[3] *Tiempo,* 23 de mayo de 1952, México, D.F., p. 57.
[4] Carlos Solórzano, *Teatro latinoamericano del siglo XX* (Buenos Aires: Nueva Visión, 1961), p. 50.
[5] Personal letter to the editors, March, 1965.
[6] **alimentan . . . blancos** maintain with regard to whites

keeps building until its climax in the last act. One critic calls this play *una magnífica comedia, acaso la mejor construida entre las de este autor,*[7] and another refers to it as *una excelente pieza, interesante, fuerte, bien escrita, con gran alcance de pensamiento* . . .[8]

The play is a realistic presentation of a crisis taking place within a wealthy Mexican family. The family consists of don Ricardo Torres, a banker and industrialist, his wife Carmela, and their three children Jorge, Beatriz, and Héctor. Carmela and the two older children, Jorge and Beatriz, are dark and have all the attributes of mestizos. The youngest child Héctor, on the other hand, is blond and has blue eyes and light skin. Don Ricardo, who prides himself on being a descendant of *criollos puros,* does not hide his pride and his preference for Héctor. He is convinced that his youngest child possesses superior qualities because of his lighter pigmentation. Her husband's obvious favoritism is a constant irritant to Carmela and is the cause of many arguments. She accuses don Ricardo of favoring Héctor; he disagrees, saying that he loves all the children equally. However, she insists in her accusation. *Tal vez lo has hecho inconscientemente,* she tells him. *Pero le has enseñado a despreciarnos a sus hermanos y a mí, sobre todo a causa del color de nuestra piel. Ha acabado por creer que es un ser superior y que nosotros no somos dignos siquiera de considerarnos sus parientes.*

In Mexico, as well as in other Spanish American countries, post-World War II theater has, on the whole, been realistic. The average Mexican theatergoer wants to see a true reflection of his own life projected on the stage—his own problems, his own aspirations. Consequently, the theater has become somewhat paradoxical. As pointed out by Gorostiza himself, the earlier attempts at achieving universality in Mexican theater have been discarded and the theater has become nationalistic, regionalistic, and even provincial. The Mexican theater has thus come to aspire to universality through its very Mexicanism.

El color de nuestra piel is representative of this type of realistic theater. The subject matter, the characterization, the ideas, the sur-

---

[7] Antonio Magaña Esquivel, *El Nacional,* México, D.F., 2 de mayo de 1952.
[8] Rafael Solona, *Hoy,* México, D.F., 31 de mayo de 1952.

roundings are all familiar and easily identified by the Mexican theater audiences. The characters have been admirably drawn—don Ricardo, the proud, self-made man, who is ashamed of his antecedents and denies his own racial background; his wife, Carmela, a timid, long-suffering woman, who eventually reaches the limits of endurance in her struggles with her husband's prejudices; Héctor, the spoiled, over-indulged and malicious youth, who is the cause of the family tragedy; Beatriz, the modern, city-bred, educated young woman, whose liberal social attitudes are in sharp contrast with those of her father; and Manuel, the illegitimate son of an Indian servant girl and an unknown father, who by his own efforts and those of his mother has achieved a position of economic importance and social responsibility.

The action is believable and the element of suspense, established early in the play and sustained until late in the third act, will satisfy even the most demanding reader. *El color de nuestra piel* will serve as an exciting and absorbing introduction to the contemporary Mexican theater.

EL COLOR DE NUESTRA PIEL

Pieza en tres actos
(el tercero dividido en dos cuadros)

a la memoria de

mis padres

a mi mujer y a mi hija

PERSONAJES

ALICIA

HÉCTOR

DON RICARDO

CARMELA

MANUEL

BEATRIZ

CARLOS

JORGE

DANIEL ZEYER

RAMÍREZ

SEÑORA TORRES

Toda la obra tiene lugar en el salón de la casa de don Ricardo Torres Flores, en la ciudad de México.

Acto   I: Un día de abril de 1952, a las 6,30 p. m.
Acto II: El día siguiente, a las 7 p. m.
Acto III: Cuadro I. El día siguiente, a las 7 p. m.
          Cuadro II. El día siguiente, a las 5,30 a. m.

Siempre que se mencionen en las acotaciones las palabras *derecha* e *izquierda,* se refieren a las de los actores.

Acto Primero

ESCENA: *Estancia en la casa de don Ricardo Torres Flores. Es una moderna construcción burguesa, ajuareada con muebles americanos costosos de los que fabrican en serie los almacenes de los Estados Unidos. Sin embargo, la calidad de la construcción y algunos objetos—una mesa, una silla, una lámpara—adquiridos en bazares de antigüedades, y algunos retratos y paisajes mexicanos del siglo XIX, dan al conjunto cierto tono de distinción. A la derecha, en primer término,[1] puerta amplia que comunica con la biblioteca. En seguida, mesa pequeña para lámpara, y dos sillas. Arriba de la mesa, contra el muro, un lujoso espejo veneciano. En segundo término, la puerta del vestíbulo por donde se entra a la casa. Al fondo, ocupando todo el ancho de la escena, un mezanín con un gran couch, radio, consola, lámpara, sillón, etc. A la derecha del mezanín, una ventana que ve al parque;[2] y a la izquierda, el arranque de la escalera que conduce a las habitaciones. A la izquierda de la escena, en primer término, la chimenea, alrededor de la cual hay un gran sofá con sus dos sillones y una mesita baja. Sobre la chimenea, el retrato de un caballero de fines del siglo XIX, tipo europeo de ojos claros. En segundo término, la puerta que comunica con el comedor, y en seguida los escalones que suben al mezanín. Debajo de éste, al fondo, en el centro, un pequeño piano de lujo con sillas a los lados. Al levantarse el telón, la escena está vacía y a oscuras. No hay más luz que la que viene de la biblioteca, el comedor y el vestíbulo, que están alumbrados, y la más tenue, del atardecer, que entra a través de la ventana del mezanín. Después de un momento aparece por el comedor Alicia, joven sirvienta de líneas seductoras y rostro agraciado,[3] de tipo definidamente mestizo. Enciende la lámpara que está a la izquierda del sofá, atraviesa la escena para encender la que está sobre la mesa de la derecha y luego sube al mezanín para encender la que queda a un lado del couch.[4] Al hacerlo y volverse, apenas puede contener una exclamación*

---

[1] **en primer término**   stage front
[2] **ve al parque**   faces the park.
[3] **de . . . agraciado**   with a seductive figure and a pretty face.
[4] **la . . . couch**   the one that is beside the couch.

de sorpresa, pues se topa de manos a boca [5] *con Héctor, el hijo menor de la casa, muchacho de diecisiete años, de pelo rubio y ojos claros, vivaz y desenvuelto, que se ha deslizado silenciosamente desde la escalera que conduce a las habitaciones y que, tras de dejar sobre el* couch *un paquete que trae en las manos, toma a Alicia por la cintura y trata de besarla. Ella lucha por evitarlo.*

ALICIA. ¡Ay . . . ! Déjeme usted . . .

HÉCTOR. (*Bajo.*) Sh . . . Que está mi papá en la biblioteca.

ALICIA. ¡Y a mí qué me importa! ¡Suélteme! (*De un empellón logra desasirse* [6] *y trata de retirarse, pero él le cierra el paso.*) [7]

HÉCTOR. ¡No seas tonta, Alicia! Si no te voy a hacer nada.[8]　　5

ALICIA. (*Esquivando un nuevo intento.*) ¡Déjeme pasar, o grito!

HÉCTOR. (*Asiéndola enérgicamente por la muñeca.*) Óyeme . . . ¿Pues qué te estás creyendo tú? A poco me vas a presumir de señorita.[9]

ALICIA. No presumo de nada. Pero yo hago lo que quiero con quien　10
me da la gana.[10]

HÉCTOR. (*Burlón.*) No me digas . . . ¿Desde cuándo se han vuelto ustedes tan remilgosas?

ALICIA. ¿Nosotras? ¿Quiénes? Las gatas,[11] ¿verdad?

HÉCTOR. Yo no he dicho que seas una gata . . .　　15

ALICIA. ¡Ah, no! Es verdad que ya subimos de categoría . . . Ahora somos las changuitas . . .

HÉCTOR. (*Hace un nuevo intento de besarla. Ella se defiende.*) ¡Bueno! ¡Ya! ¡Déjate de tonterías! [12]

ALICIA. Mire, joven Héctor . . . Si no me deja en paz, llamo a su　20
papá.

HÉCTOR. ¿Y qué vas a ganar con eso? ¿Que te echen a la calle?

En el calor de la lucha han subido demasiado la voz, y don

---

[5] **se . . . boca** she runs unexpectedly into.
[6] **de . . . desasirse** with a push she manages to free herself.
[7] **le cierra el paso** blocks her way.
[8] **si . . . nada** I'm not going to hurt you. *Do not translate* **si.**
[9] **a . . . señorita** I suppose you're going to tell me you're a lady.
[10] **con . . . gana** with whom I please.
[11] **gatas** (*Mexicanism*) maids.
[12] **¡Déjate de tonterías!** Stop your foolishness.

Ricardo, el padre de Héctor, aparece por la puerta de la biblioteca con un libro en la mano. Es un hombre de cincuenta y cuatro años, esbelto y robusto, con el gesto endurecido y el tono y los ademanes solemnes de quien se siente satisfecho y seguro de sí mismo. Apenas se le notan las canas,[13] *y su piel, todavía fresca, tiene un tinte* 5 *moreno claro, tirando a cenizo,*[14] *como si estuviera polveada. Se queda escuchando desde el umbral.*

ALICIA. No es esta la única casa en donde puedo servir . . .

HÉCTOR. Y a poco crees que en las otras casas no va a haber quien te haga el amor . . . 10

ALICIA. Ahora hay harto trabajo en las fábricas.

HÉCTOR. Y allí tampoco hay jefes . . . ni patrones . . . No, chiquita, si en todas partes es igual . . . Hasta las estrellas de cine tienen que pasar por eso . . . (*Nuevo intento de besarla.*)

ALICIA. ¡Oh! ¡Que me deje! [15] 15

DON RICARDO. ¡Héctor! (*Deja su libro sobre la mesa, enciende la luz del candil y da unos pasos dentro de la escena. Héctor se aparta de Alicia con aire más bien molesto que apenado. Ella está furiosa, avergonzada, temblando, a punto de llorar.*) [16] ¡Héctor, ven aquí! (*El no se mueve. Después de un momento, Alicia, tomando una* 20 *decisión, baja del mezanín y viene hacia don Ricardo.*)

ALICIA. Lo siento mucho, señor. Voy a alzar mis cosas [17] para irme. (*Va a retirarse, pero don Ricardo la detiene.*)

DON RICARDO. No, eso lo arreglarás más tarde con la señora. Sabes muy bien que pasado mañana es el matrimonio civil de la señorita 25 Beatriz, y no vamos a quedarnos sin servicio.[18]

ALICIA. Es que . . . Yo quería explicarle a usted . . .

DON RICARDO. No tienes nada que explicarme. Lo he visto todo. Y te aseguro que esto no se va a volver a repetir. Puedes retirarte. (*Con ademán violento, Alicia se retira por el comedor. Don Ricardo se* 30 *queda mirando fijamente a Héctor. Éste coge su paquete, desciende*

---

[13] **apenas . . . canas**   one scarcely notices his gray hair.
[14] **tirando a cenizo**   almost the color of ashes.
[15] **¡Qué me deje!**   I told you to leave me alone.
[16] **a punto de llorar**   almost in tears.
[17] **Voy . . . cosas**   I am going to pack up my things.
[18] **no . . . servicio**   we are not going to be without help.

los escalones y se dirige lentamente, con la cabeza baja, hacia el vestíbulo.) ¿Adónde vas?

HÉCTOR. (*Deteniéndose, sin mirar a don Ricardo.*) Tengo una cita con un amigo. Ya se me hizo tarde.[19]

DON RICARDO. ¡Naturalmente! ¡Se te hizo tarde! ¿Eso es todo lo que se te ocurre decir?

HÉCTOR. ¿Qué otra cosa quieres que diga, papá? No tengo nada que decir.

DON RICARDO. ¡Ah! ¿No? Pues yo sí tengo algo que decirte a ti. Hazme el favor de sentarte. (*Le indica el sillón del centro.*)

HÉCTOR. Te digo que se me hace tarde, papá.

DON RICARDO. No me importa. Siéntate allí. (*De mala gana,[20] Héctor va a sentarse donde le indica, siempre llevando su paquete en las manos. Don Ricardo espera a que se siente. Luego da unos pasos sin saber cómo empezar su discurso. Al fin queda frente a Héctor y lo mira fijamente.*) ¿Qué llevas en ese paquete?

HÉCTOR. Son mis patines.

DON RICARDO. ¿Tus patines? ¿Acaso vas a patinar?

HÉCTOR. No, papá. Iba yo a hacer un cambalache.

DON RICARDO. (*Paseando.*) ¡Un cambalache! ¡Un cambalache! ¡Siempre estás haciendo cambalaches!

HÉCTOR. ¿Y qué voy a hacer con ellos, si ya no los uso?

DON RICARDO. (*Se detiene. Ha agarrado la coyuntura que necesitaba.*)[21] No. Es verdad. Ya no eres un chiquillo. Ya eres todo un hombrecito. Precisamente por eso quiero hablarte de hombre a hombre . . . Como un amigo . . . (*Se acerca a él y le pone la mano sobre el hombro.*) Eso que haces no está bien. Faltas al respeto[22] a tu casa, a tu familia . . . y te degradas tú mismo al ponerte al tú por tú[23] con una prieta mugrosa de éstas[24] . . . Si el mundo está lleno de mujeres . . . blancas . . . bonitas . . . ,

---

[19] **Ya . . . tarde** I'm late already.
[20] **De mala gana** ill-humoredly; against his will.
[21] **Ha . . . necesitaba** He has found the opening he needed.
[22] **Faltas al respeto** You are being disrespectful.
[23] **tú por tú** on intimate terms.
[24] **una . . . éstas** one of these filthy dark servants.

limpias . . . Toda clase de mujeres que tú puedes llegar a tener
con sólo proponértelo . . .

HÉCTOR. (*Bajo, tímidamente.*) A mí me gusta ésta . . .

DON RICARDO. (*Reacciona ante el cinismo de Héctor y se aparta,
pero se domina y continúa.*) A tu edad, los muchachos no saben 5
todavía lo que les gusta. Lo que quieren es una mujer y no se fijan
en pelos ni señales.[25] Es la época en que corren detrás de una
escoba con faldas.[26] Se agarran de lo más fácil, de lo más rápido.
Por eso casi todos los muchachos mexicanos nos hemos iniciado
con estas indias piojosas, sin medir las consecuencias. Pero te 10
aseguro que la mayor parte lo hemos tenido que lamentar el resto
de nuestra vida. (*Héctor lo mira con asombro.*) Sí, no debe asom-
brarte. Yo no podía ser la excepción, sustraerme al ambiente, a las
circunstancias . . . (*Va a sentarse al sofá, junto a Héctor. Durante
el parlamento siguiente, Carmela, la esposa de don Ricardo,* 15
*desciende por la escalera de las habitaciones y va bajando al salón,
pero al darse cuenta de lo que hablan don Ricardo y Héctor, se
queda en el mezanín escuchando desde el barandal. Ellos no la
advierten. En Carmela, de cuarenta y cinco años, se notan las
huellas de algún oculto y largo sufrimiento. Se la siente encogida,* 20
*más bien que delgada,[27] y sus negros y profundos ojos languidecen
bajo el peso de una vaga nostalgia. En su fisionomía se advierte
aún la clásica belleza de la mestiza mexicana, de la que tiene el color
de la piel dorada por el sol.*) Escúchame: y conste que eres la primera persona en el mundo a quien voy a confiar este secreto. Ten- 25
dría yo tu edad o poco más, cuando se me metió en la cabeza la
misma chifladura [28] que a ti ahora. Al cabo de un tiempo, me
enteré con terror de que la muchacha estaba encinta. Lo que sufrí
en esos días no puedo explicártelo. El miedo constante de que
mis padres se enteraran, el saber que iba yo a ser padre del hijo 30
de una criada . . . Pero eso no fue nada en comparación con lo
que siguió después . . . Mis padres, naturalmente, se dieron cuenta

---

[25] **no . . . señales** do not care what she looks like.
[26] **escoba con faldas** anything with skirts.
[27] **Se . . . delgada** One is more aware of her timidity than her delicate nature.
[28] **se . . . chifladura** I got the same idiotic idea in my head.

de lo que pasaba. Sin decirme nada, me mandaron a Oaxaca. Y cuando regresé, la criada había desaparecido. Nunca más volví a saber de ella ni de su hijo. Pero desde entonces, y hasta hoy, no he podido librarme nunca de la angustia de pensar que cualquier hombre que tropiece yo en la calle, en la oficina, en cualquier parte, 5 puede ser mi hijo.

HÉCTOR. ¿Por qué no una muchacha? ¿La misma Alicia, por ejemplo?

DON RICARDO. ¡Tienes razón! ¿Por qué no? ¡Cualquiera! Claro que en el caso de Alicia no es posible, porque su edad no corresponde a la época en que sucedió esto. Además, conocemos a su madre. 10 Pero cualquiera otra, ¿por qué no? Y éste es un sufrimiento del que tú no tienes la menor idea y del que ningún hombre de conciencia y bien nacido [29] puede librarse. Entre otras razones muy importantes, para evitar que la historia se repitiera, fue por lo que mandé a tu hermano Jorge a estudiar en los Estados Unidos, y por lo que 15 tú te vas a ir allá también cuanto antes.[30]

HÉCTOR. ¿Crees que Jorge no sería capaz de hacer lo mismo si le gustara la muchacha?

DON RICARDO. Estoy seguro. Tres años en los Estados Unidos hacen ver a nuestras prietitas de modo muy distinto. (*Héctor se sonríe* 20 *con escepticismo.*) Y ahora que le he puesto su negocio y que se codea con hombres de empresa y con mujeres de mundo, ni pensarlo.[31] (*Pausa corta.*)

HÉCTOR. Yo no quiero ir a los Estados Unidos. No tengo ganas de estudiar.

25

DON RICARDO. ¿Qué es lo que quieres hacer entonces?

HÉCTOR. Quiero trabajar. Ganar dinero.

DON RICARDO. Todavía estás muy joven. Hasta ahora no te falta nada de lo que necesitas.

HÉCTOR. Ya ves que sí . . .

30

DON RICARDO. (*Se desconcierta, pero se domina y se levanta para*

---

[29] **bien nacido**   well-bred
[30] **cuanto antes**   as soon as possible.
[31] **se . . . pensarlo**   he rubs elbows with businessmen and worldy-wise women, he wouldn't think of it.

disimular.) Bueno . . . Ya hablaremos de eso. Por lo pronto, es necesario que me prometas que no vas a volver a meterte con Alicia ni con ninguna otra criada.

HÉCTOR. (*Sin prometerlo, se levanta aliviado.*) ¿Ya puedo irme entonces? 5

DON RICARDO. ¿Por qué tanta prisa? ¿Adónde vas?

HÉCTOR. Ya te dije que tenía una cita con un amigo . . . El del cambalache.

DON RICARDO. Puedes dejarlo para otro día. Nunca estás en tu casa. Dentro de un rato vendrá tu hermana, y supongo que estarás en- 10 terado [32] de su casamiento . . .

HÉCTOR. Bueno . . . Después de todo, puede que ya no sea tiempo de ir.[33] Bajaré cuando ella llegue. (*Se dirige a la escalera a través del mezanín, llevándose su paquete. Su madre lo sigue con la vista.*[34] *Al volverse, don Ricardo se da cuenta de la presencia de ella.*) 15

DON RICARDO. ¡Ah! ¿Estabas allí?

CARMELA. Sí. (*Se dispone a bajar del mezanín.*)

DON RICARDO. ¿Oíste lo que le dije a Héctor?

CARMELA. Sí. (*Viene a sentarse a la izquierda del sofá. Don Ricardo, ligeramente cohibido, se aparta a la derecha. Luego se vuelve.*) 20

DON RICARDO. Bien . . . Eso me evita la pena de darte una explicación . . ., por lo demás, muy molesta.[35] . . .

CARMELA. Nunca me habías dicho nada, Ricardo.

DON RICARDO. No es fácil decir esas cosas . . . Hasta hoy no había encontrado la forma . . ., la oportunidad . . . Además . . ., 25 sucedió hace tanto tiempo . . . Todavía no nos conocíamos tú y yo. Era yo apenas un estudiante de Leyes. Tal vez eso contribuyó a que no terminara la carrera. (*Pausa. Ella se queda mirando fijamente delante de sí. Él la observa y se acerca a ella.*) Espero que eso no vaya a ser motivo de ningún disgusto entre nosotros, 30 Carmela.

[32] **supongo que estarás enterado**   I suppose you must be aware.
[33] **puede . . . ir**   maybe it's too late already.
[34] **con la vista**   with her gaze.
[35] **por . . . molesta**   in addition a very unpleasant one.

CARMELA. (*Como si despertara.*) No, no . . .; es que enterarte de algo [36] . . ., así . . ., tan repentinamente . . . Me ha hecho pensar en tantas cosas . . . No sé . . . Me ha llenado de confusiones . . .

DON RICARDO. (*Se sienta junto a ella, afectuoso.*) A ver, a ver [37] . . . 5 Vamos a ver qué confusiones son esas . . .

CARMELA. Muchas . . . Tantos recuerdos dormidos que despiertan de pronto . . ., tantas ideas, tantas emociones encontradas [38] . . . Ese hijo tuyo . . .

DON RICARDO. Bueno . . . Es una suposición . . . En realidad no 10 sé si existe. Pudo no haber nacido [39] . . . Pudo haber muerto . . . Lo espantoso es precisamente no saberlo . . . Pensar que puede existir . . ., estar cerca de mí . . ., necesitarme tal vez . . . y no saber nada . . ., no poder hacer nada . . . Es una pena que no le deseo a nadie, y a mis hijos menos que a nadie. Es lo que 15 traté de hacerle entender a Héctor.

CARMELA. Lo malo con Héctor es que lo consientes demasiado, Ricardo. Sabe que estás orgulloso de él, que lo prefieres a sus hermanos, que todo lo que dice y todo lo que hace te parece maravilloso, y, naturalmente, se ha vuelto malcriado y se permite 20 toda clase de libertades . . .

DON RICARDO. (*Se levanta y camina a la derecha. Luego se vuelve.*) No sé por qué dices que lo prefiero a sus hermanos. ¿Acaso Jorge no ha tenido todo lo que ha querido? ¿No le di todo el dinero disponible que tenía y hasta el de algunos de mis amigos para que 25 pusiera ese negocio de producción de películas que quería poner? ¿Acaso omití esfuerzo [40] para que Beatriz fuera al colegio adonde van todas las muchachas aristócratas de México, y para que siguiera frecuentando, a su regreso, los círculos más elegantes y distinguidos? Gracias a eso va a hacer el matrimonio que va a hacer. 30

CARMELA. (*Se levanta y va hacia él.*) No se trata de lo que hagas

[36] **es . . . algo** it's just that for one to find out something.
[37] **A ver, a ver** Now, now.
[38] **tantas emociones encontradas** so many conflicting emotions.
[39] **Pudo no haber nacido** He might not have been born.
[40] **¿Acaso omití esfuerzo . . . ?** Did I perhaps spare any effort?

por ellos materialmente, sino de tu afecto, de tu cariño, de todas esas pequeñas cosas aparentemente insignificantes que a Héctor le das a manos llenas [41] y a los otros les niegas.

DON RICARDO. No entiendo qué cosas pueden ser esas . . .

CARMELA. (*Se vuelve hacia la izquierda.*) Claro, tú no te das cuenta. 5 El tono en que les hablas . . ., la manera de mirarlos . . ., los reproches para unos y los elogios para el otro . . .

DON RICARDO. A todos les hago reproches. ¡Naturalmente! Si son mis hijos. ¿No acabo de regañar a Héctor aquí mismo, delante de ti?

CARMELA. A Héctor, hasta cuando lo regañas, lo distingues de sus 10 hermanos por la ternura, por el interés con que lo haces.

DON RICARDO. Y en cuanto a elogiarlo . . . ¿Qué culpa tengo yo [42] de que Héctor sea más inteligente, más listo que sus hermanos?

CARMELA. (*Dolida, vuelve a sentarse en el sofá.*) ¿Lo ves?

DON RICARDO. Te lo repito, Carmela. ¿Qué culpa tengo yo? Ese 15 muchacho tiene iniciativa, es independiente, orgulloso. Le gusta resolver él solo sus problemas, en lugar de venir a llorar para que se los resuelvan. (*Vuelve a sentarse junto a ella. Habla con visible delectación, recreándose en las cualidades de su hijo.*) ¿Te acuerdas, hace cinco años, cuando él era apenas un mocoso de doce, de 20 aquella plaga de chiquillos que se soltaba todos los sábados en las paradas de los tranvías pidiendo a los pasajeros que bajaban el abono semanal [43] que ya no iban a utilizar, para luego vendérselo a los que subían? Fue Héctor el que inventó el negocio y el primero que lo puso en práctica sin decir una palabra a nadie. Luego lo 25 copiaron todos los demás. Y así ha sabido ingeniarse siempre para ganar su dinerito, con sus «cambalaches», como él dice. (*Se oye sonar el timbre de la puerta.*)

CARMELA. (*Se levanta y va hacia la chimenea, dando la espalda [44] a don Ricardo.*) No estás haciendo más que darme la razón. [45] 30

[41] **a manos llenas**   in good measure; generously.
[42] **¿Qué culpa tengo yo . . . ?**   Is it my fault?
[43] **aquella . . . semanal**   that bunch of kids that would come every Saturday to the trolley stop asking the passengers for their weekly pass.
[44] **dando la espalda**   turning her back.
[45] **No . . . razón**   You're just proving what I said.

Aprovechas cualquier oportunidad para alabar a Héctor. Y eso humilla a sus hermanos y me humilla a mí. Me ha humillado siempre . . .

DON RICARDO. (*Se levanta, va hacia ella y tomándola por los hombros, la hace volverse hacia él, al tiempo que Alicia cruza del comedor* 5 *al vestíbulo.*) Le estás dando demasiada importancia a una cosa que no la tiene. Lo que pasa es que te ha puesto nerviosa el matrimonio de tu hija. Es natural . . . A todas las madres les sucede lo mismo . . . Además, estás cansada . . . Tanto ajetreo . . . Las preocupaciones. 10

ALICIA. (*Apareciendo por el vestíbulo.*) El señor Torres lo busca a usted, señor.

DON RICARDO. (*Se vuelve, extrañado. Va hacia el centro, por detrás del sofá.*) ¿El señor Torres? Habrá preguntado por el señor Torres . . . El señor Torres soy yo. 15

ALICIA. No, señor. Dice que es el señor Torres, de los Laboratorios Zeyer.

DON RICARDO. Pues da la casualidad [46] de que el señor Torres de los Laboratorios Zeyer soy yo . . . En fin . . . Dile que pase. (*Va hacia Carmela, que ha caminado hasta la parte de atrás del sofá,* 20 *y le hace un cariño en el mentón.*) [47] Volveremos a tratar ese asunto porque no quiero que te quedes con las ideas que se te han metido en la cabeza. ¡Ah! Y será bueno que convenzas a Alicia de que se quede. Sería una gran complicación que se fuera precisamente ahora. (*Manuel Torres está ya en la puerta del vestíbulo. Es un* 25 *joven de treinta y dos años, agradable tipo de mestizo, culto, activo, serio y enérgico. Saluda desde la puerta, mientras Alicia atraviesa la escena y hace mutis* [48] *por el comedor.*)

MANUEL. Buenas noches.

DON RICARDO. (*Se vuelve y lo observa un instante con excesivo interés,* 30 *pero reacciona en seguida y adopta una actitud cordial.*) Buenas noches. ¿Usted es el señor Torres, de los Laboratorios Zeyer?

[46] **Pues da la casualidad**   It just happens that.
[47] **le . . . mentón**   caresses her chin.
[48] **hace mutis**   leaves the stage.

MANUEL. Sí, señor. Manuel Torres, a sus órdenes. Soy el químico responsable.[49]

DON RICARDO. ¡Ah, sí, sí! Es verdad. Ya me habían hablado de usted. Pase a sentarse, ingeniero.[50] (*Presentando.*) Mi señora.

MANUEL. (*Desde donde está.*) Para servirla, señora.   5

CARMELA. Mucho gusto. Con permiso. (*A don Ricardo, más bajo.*) Voy a hablar de una vez [51] con Alicia.

DON RICARDO. Sí, anda. (*Carmela hace mutis por el comedor. Don Ricardo la ve irse y luego se vuelve a Manuel.*) Si no me equivoco, usted es el que me organizó un sindicatito en los laboratorios . . . 10

MANUEL. No, señor. Lo organizaron mis compañeros y me nombraron su dirigente. Naturalmente, yo acepté.

DON RICARDO. Bien, bien. Y dígame . . . ¿Por qué se llama usted Torres?

MANUEL. (*Se desconcierta y ríe de lo que considera una broma.*) 15
Pues . . . porque es el nombre de mi familia.

DON RICARDO. (*Ríe también.*) Sí, sí, claro.

MANUEL. No deja de ser una coincidencia [52] que yo tenga el mismo nombre que usted. Pero, después de todo, Torres es un apellido tan común . . .   20

DON RICARDO. (*Un poco molesto, pero fingiendo bromear.*) En realidad, yo no soy Torres a secas.[53] Yo soy Torres Flores. Cuando tiene uno dos apellidos comunes, lo mejor que puede hacer es juntarlo y convertirlo en uno singular. Le doy ese consejo.

MANUEL. (*Riendo.*) Gracias, señor Torres Flores.   25

DON RICARDO. Vamos a ver . . . En su caso, por ejemplo . . . ¿Cuál es su segundo apellido?

MANUEL. (*Titubea por lo inesperado de la pregunta.*) ¿Cómo? . . . ¡Ah, sí! Mmm . . . Martínez . . .

---

[49] **químico responsable**   chemist in charge.

[50] **ingeniero**   engineer *In Spanish-speaking countries professional men are often referred to by their professional titles.*

[51] **de una vez**   at once.

[52] **No . . . coincidencia**   It is a coincidence just the same.

[53] **Torres a secas**   simply Torres.

DON RICARDO. Ahí lo tiene usted . . . Torres Martínez . . . No suena mal.[54] (*Ambos ríen.*) Bien, ingeniero. Siéntese y dígame qué lo ha traído por aquí.

MANUEL. (*Cruzando hacia el sofá.*) Tengo interés en hablar con usted sobre la organización y el funcionamiento de los laboratorios.   5

DON RICARDO. (*Bajando al primer término.*) Usted sabe que yo no me ocupo personalmente de eso. La dirección del Banco Hispano-Americano absorbe todo mi tiempo.

MANUEL. Pero siendo usted prácticamente el dueño de los laboratorios . . .   10

DON RICARDO. ¡Nada de eso! Tengo invertido allí un poco de dinero y nada más. Mi socio, don Daniel Zeyer, es la autoridad técnica y administrativa del negocio.

MANUEL. Justamente por eso he venido a verlo. Tengo la seguridad de que su negocio, porque yo sé que usted es propietario de más   15 del cincuenta por ciento de las acciones, no está en buenas manos.

DON RICARDO. (*Reacciona desagradablemente, pero disimula, y mostrándose más interesado va a sentarse en el sillón de la derecha. Manuel lo hace en el sofá.*) ¿Tiene usted algún motivo concreto para hacer esta afirmación?   20

MANUEL. Le ruego, ante todo, que entienda que vengo a hablarle como dirigente del sindicato. A los trabajadores nos interesa el progreso de las industrias en que trabajamos, porque de ello depende nuestro propio progreso.

DON RICARDO. Sí, sí, pero . . . ¿qué cargo concreto tiene usted que   25 hacerle a don Daniel?

MANUEL. Creo que en manos del señor Zeyer no van a progresar los laboratorios, porque el señor Zeyer no es un técnico y desconoce las inmensas posibilidades de esa industria.

DON RICARDO. El negocio ha venido marchando [55] . . . Y, en reali-   30 dad, rinde muy apreciables utilidades. Tanto, que el señor Zeyer me ha propuesto comprarme mi parte en términos muy ventajosos para mí . . .

---

[54] **No suena mal**   It doesn't sound bad.
[55] **ha venido marchando**   has been doing all right.

MANUEL. Y usted se ha negado a vendérsela . . .

DON RICARDO. Naturalmente.

MANUEL. Ha hecho usted bien. El señor Zeyer es un buen comerciante. Pero el comercio, entendido así, como una mera habilidad [56] para obtener provecho de los demás, haciéndoles creer que se les 5 presta un servicio, nunca puede conducir a un fin satisfactorio.

DON RICARDO. (*Se levanta y cruza hacia la chimenea.*) Yo quisiera que se explicara usted con mayor claridad.

MANUEL. Los laboratorios están rindiendo utilidades porque estamos usando materias primas importadas, de baja calidad, y el producto 10 se vende como de primera, al amparo de las tarifas aduaneras; [57] pero con el tiempo no podremos soportar la competencia de todos los buenos productos extranjeros que hay en el mercado, de los que los nuestros resultan una burda imitación. Y, en cambio, estamos desperdiciando lamentablemente un sinnúmero de materias 15 primas que se encuentran en abundancia en la naturaleza de México, con las que podríamos llegar a fabricar productos originales, muy superiores a los extranjeros.

DON RICARDO. ¿Le ha explicado usted eso al señor Zeyer?

MANUEL. Tengo un proyecto escrito que se ha negado a leer. No 20 quiere saber nada que signifique innovación o experimento, y menos si viene de alguno de nosotros. Ese es otro punto del que quería hablarle. El trato que el señor Zeyer da a los trabajadores no es digno ni humano. Ha llegado a decirnos que todos los extranjeros saben muy bien que a los mexicanos hay que gritarnos 25 para hacernos entrar en razón. [58] Los muchachos se resienten, como es natural, y eso puede dar lugar a un conflicto el día menos pensado. [59]

DON RICARDO. (*Se sienta en el sillón de la izquierda.*) ¿Tiene usted alguna proposición que hacerme para resolver estos problemas? 30

MANUEL. He venido a ofrecer a usted la colaboración y la amistad

---

[56] **mera habilidad**   just a mere ability.
[57] **tarifas aduaneras**   customs charges.
[58] **entrar en razón**   to understand.
[59] **dar . . . pensado**   give rise to a conflict at any moment.

de los trabajadores. Yo le respondo de que los laboratorios llegarán a alcanzar un auge no imaginado el día que pueda prescindirse de la intervención del señor Zeyer.

DON RICARDO. (*Se levanta divertido y escandalizado a un tiempo* [60] *y cruza hacia la derecha.*) ¡Imposible! ¡Lo que usted me propone   5 es sencillamente absurdo! Yo no entiendo nada del negocio ni tengo tiempo de ocuparme de él. ¿En quién voy a confiar? ¿En usted? Yo no dudo que usted sea un químico excelente . . . Pero . . . ¿qué experiencia comercial tiene usted?

MANUEL. Si logramos fabricar buenos productos, tendrán que im- 10 ponerse por sí mismos.[61]

DON RICARDO. No cabe duda de que es usted un romántico, ingeniero. Eso de que «el buen paño en el arca se vende»,[62] es una teoría tan anticuada como los cuentos de «Las mil y una noches». En esta época, de lo que se trata es de vender el mal paño a como dé 15 lugar.[63] Estamos en la era de los merolicos y el éxito es del que pueda gritar más fuerte, durante más tiempo. Para eso se han inventado los altavoces, la radio y la televisión . . . (*Manuel va a replicar, pero él le interrumpe.*) Por otra parte, acá entre nos- otros,[64] como mexicanos, vamos a confesarnos que efectivamente 20 no somos muy de fiar.[65] Hablamos muy bonito desde la barrera, pero a la hora de la verdad somos indolentes, descuidados, irres- ponsables . . . No, no me diga usted nada. Si no tiene una proposición mejor que hacerme es inútil seguir hablando del asunto.

MANUEL. En ese caso, señor Torres Flores, me retiro. (*Se levanta.*) 25

DON RICARDO. No, no se vaya. De todos modos, me interesa su proyecto. Tráigamelo algún día para verlo. Además, me es usted simpático. Me gustaría charlar con usted de otras cosas.

MANUEL. Se lo agradezco, don Ricardo. Con mucho gusto.

---

[60] **divertido . . . tiempo**   amused and irritated at the same time.
[61] **tendrán . . . mismos**   will have to prove themselves.
[62] **«el . . . vende»**   good products don't need advertising.
[63] **de lo que . . . lugar**   it's a matter of selling goods any way possible.
[64] **acá entre nosotros**   here between you and me.
[65] **efectivamente . . . fiar**   really we are not very trustworthy.

DON RICARDO. (*Cruza hacia la chimenea.*) Supongo que no será indiscreto preguntarle . . . ¿Viven sus padres?

MANUEL. (*Ríe, evadiendo la respuesta.*) No veo qué relación pueda tener . . .

DON RICARDO. No tiene importancia. Es una simple curiosidad. Si 5 no quiere, no me conteste.

MANUEL. ¿Por qué no? Mi madre solamente.

DON RICARDO. (*Midiendo sus preguntas.*) [66] Su familia . . . es de aquí . . . , ¿de la capital?

MANUEL. No, del estado de Hidalgo.[67]   10

DON RICARDO. ¿Su padre . . . murió hace mucho tiempo?

MANUEL. Sí . . . , mucho . . . Yo era muy niño [68] todavía.

DON RICARDO. Pero . . . ¿usted lo conoció?

MANUEL. (*Duda un segundo.*) Sí . . . , naturalmente . . .

DON RICARDO. (*No muy satisfecho.*) Vaya, vaya [69] . . . (*Cavila un* 15 *instante. Se oye cerrar la puerta exterior del vestíbulo y la risa de Beatriz. Don Ricardo reacciona y pasa por detrás del sofá para salir al encuentro de su hija.*) Aquí está ya mi hija. (*Manuel se aparta hacia la chimenea y enciende un cigarro. Aparece Beatriz por el vestíbulo, guardando las llaves en su bolso.*[70] *Tiene veintidós* 20 *años. Es la muchacha rica, despreocupada y desenvuelta, un poco snob y un tanto* [71] *cínica. No se podría decir si su color, más claro que el de su madre, pero más oscuro que el de su padre, es el natural de su piel o el resultado de los deportes al aire libre.*[72] *La sigue Carlos, su novio, cargado de paquetes que va a dejar sobre* 25 *el piano mientras ella besa a don Ricardo. Él es el típico «muchacho bien»* [73] *cosmopolita, fino de facciones* [74] *y de modales, de estudiada*

[66] **Midiendo sus preguntas**   Carefully phrasing his questions.
[67] **Hidalgo**   *A state northeast of Mexico City.*
[68] **era muy niño**   I was very young.
[69] **Vaya, vaya**   Well, well.
[70] **guardando . . . bolso**   putting her keys in her purse.
[71] **un tanto**   somewhat.
[72] **deportes al aire libre**   open air sports.
[73] **«muchacho bien»**   rich boy, of "good family."
[74] **fino de facciones**   good-looking.

elegancia dentro de un aparente descuido en el vestir y una laxitud de movimientos calcada del último duque de Windsor.) [75] ¡Muchachos! Pero ¡qué cargamento!

BEATRIZ. Son las invitaciones que pasamos a recoger. El «shower» en casa de la Yoyis fue de utensilios de cocina. El coche viene cargado de paquetes hasta el techo. 5

DON RICARDO. Dile a Alicia que los suba.

BEATRIZ. Ya los está metiendo el chófer de Carlos por el garaje. (*Repara en Manuel y se le queda mirando con evidente simpatía, que es correspondida. Pausa.*) 10

DON RICARDO. El señor es el químico de los laboratorios, don Manuel Torres.

BEATRIZ. (*Va hasta él, tendiéndole la mano.*) Mucho gusto, señor Torres. No sabía que fuera usted tocayo nuestro.

DON RICARDO. Y éste es mi futuro yerno, el señor Carlos Ahumada. 15 (*Le pasa la mano por el hombro a Carlos, que ha estado desenvolviendo una caja de invitaciones, y se adelanta con él.*)

CARLOS. Mucho gusto.

MANUEL. (*Al mismo tiempo, desde su lugar.*) Mucho gusto.

BEATRIZ. (*A Manuel.*) Un futuro muy próximo, porque ya sabrá 20 usted que nos casamos pasado mañana por lo civil.[76]

MANUEL. Permítame felicitarlo.

BEATRIZ. Espero que nos hará el favor de venir a acompañarnos . . .[77]

MANUEL. Con mucho gusto, señorita. (*En este momento, aparece Carmela por el comedor. Carlos le sale al encuentro,*[78] *detrás del* 25 *sofá.*)

CARLOS. Buenas noches, señora. ¿Cómo está usted?

BEATRIZ. (*Subiendo, por la izquierda del sofá, para besar a Carmela.*) ¡Mammy!

CARMELA. Muy bien, Carlos, muchas gracias. (*A Beatriz.*) Ya vi que 30

---

[75] **una . . . Windsor** relaxed movements copied from the present Duke of Windsor.
[76] **por lo civil** in the civil ceremony.
[77] **de venir a acompañarnos** to be with us
[78] **le sale al encuentro** goes to meet her.

te fue muy bien [79] el «shower».

BEATRIZ. ¡Estuvo brutal!

CARLOS. (*Reconviniéndola amablemente.*) Beatriz . . . (*Ella se cohíbe y le sonríe. Carlos saca una invitación de la caja que ya ha acabado de abrir y la muestra a Carmela.*) Éstas son las invi- 5 taciones para el religioso.[80] Quedaron muy bonitas.

CARMELA. Preciosas . . . Y muy finas [81] . . .

BEATRIZ. ¿Cómo dijeron que eran? ¡Ah, sí! A la plancha.[82]

CARLOS. (*Siempre muy amable.*) No, Beatriz. A la plancha fueron los langostinos que comimos el otro día en el restorán. Esto es 10 grabado en plancha de acero.[83]

BEATRIZ. ¡Ah, sí! Perdóname . . . (*Don Ricardo va a ir a verlas, pero Manuel cruza en ese momento hacia él, tendiéndole la mano.*)

MANUEL. Con su permiso don Ricardo. Tengo que irme.

DON RICARDO. Espere usted. Vamos a tomar un trago a la salud de los 15 novios.

MANUEL. Muchas gracias, pero . . .

DON RICARDO. Beatriz, dile a Alicia que nos traiga un «high-ball».

BEATRIZ. Sí, papá.

CARMELA. Ya le dije yo que lo sirviera. 20

DON RICARDO. (*Cruzando hacia el grupo, atrás del sofá.*) Siéntense. Y déjenme ver esas invitaciones. (*Carlos le pasa la invitación y va a dejar la caja sobre el piano. Carmela baja por la izquierda y se sienta en el extremo de ese lado del sofá. Beatriz viene a sentarse en el sillón de la derecha y Carlos en el brazo izquierdo del mismo* 25 *sillón. Don Ricardo cruza hacia la chimenea leyendo la invitación.*) En efecto . . ., muy bonitas . . . Pero me parece que están un poco retrasadas. Ya deberían estarse repartiendo.[84]

CARLOS. Faltan ocho días para la ceremonia religiosa. Mañana, yo

---

[79] **Ya . . . «shower»** I already saw how well the shower turned out.
[80] **el religioso** the church wedding.
[81] **muy finas** in good taste.
[82] **a la plancha** grilled (*as in meat*).
[83] **grabado . . . acero** engraved.
[84] **Ya deberían estarse repartiendo** They should have been mailed already.

mismo voy a rotular los sobres y a ponerlas en el correo.[85] Ya tenemos las listas completas. (*Saca unos papeles de la bolsa de la cartera.*) [86]

DON RICARDO. (*Dejando la invitación sobre la chimenea.*) A ver, a ver . . . Me gustaría oír los nombres. 5

BEATRIZ. (*Se vuelve hacia Manuel y le indica el sofá.*) Venga, señor Torres. Siéntese aquí.

MANUEL. (*Yendo a sentarse a la derecha del sofá.*) Gracias.

CARLOS. (*Revisa la lista y saca un lapicero con el que tacha un nombre.*) Había yo puesto a los Mena, pero no están ahora en 10 México.

DON RICARDO. ¡Qué lástima! Con las ganas que tenía de conocerlos [87] . . . Supongo que habrán puesto a los Pérez Rivas . . .

CARLOS. A todos ellos. Siendo mis parientes, no podían faltar.[88]

DON RICARDO. Yo he tratado a algunos.[89] En el terreno de los negocios, 15 claro. Por el Banco . . . Pero hasta ahora voy a tener el gusto de alternar con ellos socialmente.

CARMELA. (*A Beatriz.*) Y no se te vaya a olvidar [90] poner a tu tía Conchis.

BEATRIZ. ¡Ay, mamá! Si es una lata [91] . . . 20

CARMELA. Pero es tu tía. No vas a dejar de invitar a tus parientes y a casarte en medio de puros extraños.

DON RICARDO. (*En tono de discreta reconvención.*) No debes llamar extraños a los familiares y a los amigos de Carlos. Después de todo, va a ser nuestro yerno. 25

CARMELA. Pero esa no es una razón para que se discrimine a nuestra familia.

BEATRIZ. No, mamacita, si nadie la está discriminando. (*A Carlos, tímidamente.*) ¿Me quieres hacer el favor de ponerla?

[85] **ponerlas en el correo** to mail them.
[86] **de . . . cartera** from his wallet.
[87] **Con . . . conocerlos** And I was so eager to meet them.
[88] **no podían faltar** They could not be left out.
[89] **Yo . . . algunos** I have had dealings with some of them.
[90] **no . . . olvidar** and don't forget.
[91] **Si es una lata** She is a bore.

CARLOS. (*De no muy buen grado.*) [92] Cómo no . . . Si tú quieres
. . . (*Lo hace. Aparece Alicia por el comedor con los ingredientes
para el «high-ball» en la charola que viene a colocar sobre la
mesita que está enfrente del sofá. Don Ricardo se acerca y se
dispone a servir.*) 5

DON RICARDO. Bueno, aquí está ya el «whisky». (*A Alicia.*) ¿Trajiste
agua natural? [93]

ALICIA. Sí, señor. Aquí está. (*Se va por el comedor.*)

DON RICARDO. (*Sirviendo.*) A Carlos no le gusta el «whisky» con
soda. 10

CARLOS. (*Fingiendo bromear.*) No, es más británico con agua natural.

DON RICARDO. Y sin hielo, además. Leí el otro día que la Cámara de
los Lores,[94] le dio una reprimenda al ministro de Turismo porque
recomendó a los hoteleros que les sirviera a los americanos el
«high-ball» con hielo. «Tenemos que aprovechar su paso [95] por 15
Inglaterra para educarlos», le dijeron. (*Risas ligeras.*) [96] Pero qué
quiere usted . . . Yo todavía no soy tan refinado.

CARLOS. (*Con pedantería.*) Es una simple cuestión de costumbre.

DON RICARDO. (*A Carmela.*) ¿Tú no tomas, verdad?

CARMELA. No. No he podido acabar de encontrarle el gusto a eso.[97] 20
Me parece que sabe a yodo.[98]

DON RICARDO. (*En tono de reproche.*) Al menos, no deberías decirlo.
(*Les pasa sus vasos a Beatriz, a Carlos y a Manuel, que se levantan
para recibirlos. El mismo toma uno y deja otro servido para
Héctor.*) 25

CARLOS. Gracias.

MANUEL. Gracias, don Ricardo.

DON RICARDO. Bueno . . . A la salud de los novios.

BEATRIZ. (*Con coquetería.*) Y por usted, señor Torres.

[92] **De . . . grado** Not very pleased.
[93] **agua natural** plain water.
[94] **Cámara de los Lores** House of Lords.
[95] **su paso** their trip.
[96] **Risas ligeras** Polite laughter.
[97] **No . . . eso** I have not been able to develop a taste for that.
[98] **sabe a yodo** it tastes like iodine.

MANUEL. Felicidades,[99] señorita.

CARLOS. (*Al mismo tiempo.*) Salud. (*Mientras beben, baja Héctor con una pistola en las manos. Se detiene en el segundo escalón y mete una bala en la recámara. Beatriz es la primera en darse cuenta y grita.*) 5

BEATRIZ. ¡Héctor!

DON RICARDO. ¡Muchacho! (*Le sale al encuentro por la izquierda.*) ¿Qué andas haciendo [100] con esa pistola? ¿De dónde la sacaste?

HÉCTOR. (*Sencillamente.*) Del cajón de tu escritorio.

DON RICARDO. ¡Ah! Es mi pistola. ¿Vas a hacer otro cambalache con 10 ella?

HÉCTOR. La saqué para limpiarla. El día que se necesite no va a servir para nada.

DON RICARDO. Hazme el favor de ir a dejarla inmediatamente de donde la tomaste. 15

HÉCTOR. (*Yéndose por la biblioteca.*) Eso es precisamente lo que iba yo a hacer.

DON RICARDO. ¡Este muchacho! ¡Siempre tan inquieto! (*Vuelve a tomar su vaso, que había dejado sobre la chimenea.*)

CARMELA. Si alguna vez lo regañaras de verdad . . ., en serio . . . 20

BEATRIZ. ¡Me dio un susto! [101] Creí que iba a disparar sobre alguien.[102]

CARLOS. ¿Por qué iba a hacerlo? Solamente que estuviera loco.

BEATRIZ. Está bastante loco el pobre, no creas.[103]

HÉCTOR. (*Apareciendo por la biblioteca.*) ¿No hay un «high-ball» para mí? 25

DON RICARDO. Allí está servido. Tómalo. (*Héctor va por su vaso a la mesa y vuelve con él hacia la derecha.*)

CARMELA. Podías, al menos, saludar.

HÉCTOR. (*Se detiene y se vuelve hacia Carlos.*) ¿Qué hay,[104] idiota? (*Carlos se ríe.*) 30

---

[99] **Felicidades**   To your happiness.
[100] **¿Qué andas haciendo . . . ?**   What are you doing . . . ?
[101] **¡Me dio un susto!**   He really scared me!
[102] **disparar sobre alguien**   to shoot someone.
[103] **Está . . . creas**   He is quite crazy, poor fellow, no doubt about it.
[104] **¿Qué hay . . . ?**   What's up . . . ?

CARMELA. ¡Héctor!

DON RICARDO. (*Al mismo tiempo.*) ¡Héctor!

HÉCTOR. (*A Manuel.*) ¿Cómo le va, señor Torres?

MANUEL. ¡Qué tal, Héctor!

DON RICARDO. ¡Ah! Pero ¿se conocían ustedes?   5

MANUEL. Estuvo una vez en los laboratorios con el señor Zeyer. Por cierto que no le he vuelto a ver por ahí.

HÉCTOR. No . . . Fui nada más a darme cuenta de la instalación.[105] (*A don Ricardo.*) Soy el único de tus hijos que se interesa por tus negocios.   10

DON RICARDO. Es verdad. Tengo que reconocerlo.[106] (*Gesto de desaprobación de Carmela. Don Ricardo se sienta en el sillón de la izquierda. Héctor se va a sentar en la silla de la extrema derecha. Carlos y Manuel vuelven a sentarse en sus lugares. En este momento se oye cerrar la puerta exterior del vestíbulo.*) Debe ser Jorge. Es   15 el único que falta para que la familia esté completa. (*Aparece Jorge por el vestíbulo con aire apresurado.[107] Es un muchacho de veinticuatro años, moreno como su hermana, pero muy acicalado y peripuesto.[108] Sus modales y el tono de su voz demuestran suficiencia y pedantería.*)   20

JORGE. Buenas noches a todos. (*Reparando en Manuel.*) [109] Buenas noches.

MANUEL. (*Levantándose.*) Buenas noches.

JORGE. (*Da una palmada a Carlos y pasa por detrás del sofá sin darle la mano a Manuel.*) Siéntese, siéntese. (*Besa a Carmela en la*   25 *frente. Ella le hace un cariño en la mano.*) [110] ¿Cómo estás, mamacita?

HÉCTOR. (*Desde su lugar.*) ¿Quihúbole, negro? [111]

JORGE. (*Furioso, va sobre él.*) ¡Ya te he dicho mil veces que no quiero que me llames así!   30

---

[105] **a . . . instalación**   to examine the plant.

[106] **Tengo que reconocerlo**   I have to admit it.

[107] **con aire apresurado**   in a hurry.

[108] **acicalado y peripuesto**   all spruced up and well dressed.

[109] **Reparando en Manuel**   Noticing Manuel.

[110] **le . . . mano**   she pats his hand affectionately.

[111] **¿Quihúbole, negro?**   How goes it, blackie?

HÉCTOR. (*Riéndose.*) Si te lo digo de cariño, imbécil . . .

JORGE. Pues no quiero que me lo digas ni de cariño.

CARMELA. ¿Y qué clase de lenguaje es ese, Héctor?

HÉCTOR. Así se usa ahora, mamá.

CARMELA. Es una costumbre muy fea.   5

BEATRIZ. (*A Manuel.*) Dispense usted, señor Torres.

MANUEL. ¿Por qué? Si me parece muy divertido.

JORGE. Bueno . . . Con permiso. Voy a darme un regaderazo. (*Se dirige al mezanín.*)

DON RICARDO. ¿No tomas un «high-ball»?   10

JORGE. Tengo una cena con unos productores y apenas me queda el tiempo justo.[112]

DON RICARDO. Muchas cenas con productores y con estrellas, y muchos retratos en los periódicos, pero la película no empieza nunca. Llevas más de seis meses [113] . . .   15

JORGE. Es que no encuentro asunto, papá. Todos los escritores son unos burros. No hay manera de que entiendan lo que yo quiero. Tendré que acabar por escribir la historia yo mismo.

DON RICARDO. (*Burlón.*) No me digas. ¿Ya también te volviste autor?

JORGE. Para hacer cine no hace falta ser autor. Lo que importa es   20
entender el cine. (*Con mucha suficiencia.*) ¡Y yo sé lo que es el cine!

DON RICARDO. ¡Vaya! [114] Pues, como dicen en las comedias, «ahora lo comprendo todo».

JORGE. Bueno. Con permiso. (*Sube rápidamente por el mezanín.*)   25

DON RICARDO. Es la tercera vez que se baña hoy. En la mañana, a mediodía y ahora. No entiendo cuál es el objeto. A mí me parece que por sucia que sea una persona, no necesita bañarse tantas veces.

HÉCTOR. Es que cree que así se va a volver blanco.[115] (*Mirada ful-* 30
minante de Carmela.)

---

[112] **apenas . . . justo**   I have just enough time left.

[113] **Llevas . . . meses**   It's been more than six months.

[114] **¡Vaya!**   My, my!

[115] **se . . . blanco**   is going to turn white.

DON RICARDO. Tal vez . . . ¿Por qué no? Hay gente que se vuelve blanca. Fíjate en don Porfirio.[116] Mientras no fue más que «El Indio de La Carbonera»,[117] siempre fue bien prieto. Y mira sus retratos blancos y sonrosados de presidente.

HÉCTOR. Es que los pintores sabían cómo darle gusto [118] . . .   5

CARMELA. No tolero que se burlen de Jorge en esa forma. Después de todo, tiene mi color.

HÉCTOR. Y el de Beatriz.

BEATRIZ. (*Volviéndose a Héctor, desde su asiento.*) Yo no, chiquito. Este color es de Acapulco,[119] para que te lo sepas.[120]   10

HÉCTOR. Síii, cóoomo noooo [121] . . .

BEATRIZ. Y, además, es el color que está de moda. En las playas la gente blanca se ve como si estuviera más desnuda.[122]

CARLOS. Sí . . . Está de moda entre las rubias . . . porque en seguida se nota que la piel está nada más tostada por el sol. (*Reparando*   15 *en Carmela y en Manuel, trata de rectificar.*) Pero, afortunadamente, en México la cuestión del color no representa ningún problema y no tiene ninguna importancia . . . Hasta en una misma familia hay prietos y güeros, y nadie se fija ni habla de ello.

MANUEL. Yo creo que lo malo es que no se hable. Porque, por no   20 hablar, se fomentan complejos, antipatías y hasta rencores injustificados.[123] Todavía hay muchos blancos que por el solo hecho de serlo se consideran superiores, y muchos prietos que se sienten deprimidos, avergonzados o resentidos.

DON RICARDO. (*Se levanta. Habla en tono doctoral.*) Eso sucede por-   25

---

[116] **Fíjate en don Porfirio**   Look at don Porfirio. *See note 117.*

[117] **«El Indio de la Carbonera»**   *Reference is to Porfirio Díaz (1830–1915) president of Mexico from 1884–1911. On October 18, 1866, he led the Mexican troops to a great victory against the French intervention army in the Battle of La Carbonera.*

[118] **darle gusto**   to please him.

[119] **Acapulco**   *A popular beach resort on the Pacific coast of Mexico.*

[120] **para . . . sepas**   just in case you want to know.

[121] **Síii, cóoomo noooo**   Yes, of course.

[122] **la . . . desnuda**   white people look more undressed.

[123] **se . . . injustificados**   complexes, antipathies, and even unjustified resentment are fostered.

que la cuestión tiene de todos modos más importancia de la que
queremos darle. El color de nuestra piel es siempre indicio del
mayor o menor grado de la mezcla de la sangre. (*Cruza a la
derecha.*) Y no porque ninguna de las razas que han entrado en la
mezcla sea humanamente superior a la otra; pero no hay que olvi-   5
darse de los desastrosos resultados que produce a veces el choque
de sangres. Precisamente hace un rato leía yo en este libro la carta
que escribió a Felipe II [124] el virrey don Luis de Velasco,[125] unos
años después de la conquista, cuando los primeros mestizos comen-
zaban a crecer y multiplicarse. (*Toma el libro de la mesa de la*   10
*derecha y cruza hacia la izquierda por detrás del sofá, buscando
la página.*) Sí, aquí está. (*Leyendo.*) «Los mestizos aumentan
rápidamente y muestran tan malas inclinaciones, tienen tal atrevimiento para la maldad, que ellos son, y no los negros, a quienes
debe temerse.»   15
MANUEL. (*Se levanta y cruza a la izquierda. Habla natural, sencillamente, en tono de conversación.*) Perdóneme, don Ricardo. Eso fue
hace cuatrocientos años. Es natural que del primer encuentro de
dos razas opuestas surjan unos hombres desconcertados y descon-
certantes, que no pertenecen a ninguna de las dos razas y que no   20
constituyen todavía, por sí solos, una nueva raza ni una nacionalidad. Pero admitirá usted que en cuatrocientos años la mezcla se ha
asentado lo suficiente para producir un tipo de hombre normal y
equilibrado que ha venido luchando cada vez con más seguridad
y con mayor energía por construir su propia patria.   25
BEATRIZ. (*Se levanta y va hacia él con entusiasmo.*) Muy bien dicho.
Estoy enteramente de acuerdo con usted.
MANUEL. Reconozco, sin embargo, que nos queda una tarea, la más
difícil de vencer y la que más daño nos hace.
BEATRIZ. ¿Cuál?   30
MANUEL. Todavía no creemos en nosotros mismos. Para convencernos

---

[124] **Felipe II** *Philip II, king of Spain (1556–1598).*
[125] **Luis de Velasco** *Viceroy of Mexico (1550–1564), and founder of the University of Mexico.*

de que valemos más que nuestros compatriotas, de que somos diferentes a ellos, cada uno de nosotros continúa aliándose con el extranjero en contra de sus propios paisanos, es decir, en contra de sí mismo. Eso no es más que un suicidio colectivo, porque México valdrá tanto como valgan los mexicanos y cada mexicano valdrá 5 tanto como los otros mexicanos lo hagan valer. Por el contrario, cada mexicano que menosprecia a sus connacionales, no hace sino restar valor a su propia nacionalidad,[126] es decir, a sí mismo. Y nosotros, aunque no lo reconozcamos, nos menospreciamos unos a otros con tanta más vehemencia cuanto más clara es nuestra piel, 10 porque entonces empezamos a creer que somos efectivamente distintos y excepcionales.

HÉCTOR. (*Desde su lugar, divertido.*) Tú eres de esos, papá.

DON RICARDO. ¿Estás loco? Yo no soy mestizo. ¿De dónde crees tú que sacaste los ojos claros? Mira a mi padre. Criollo puro. Tú lo 15 heredaste a él. Abueleaste, como dicen aquí. (*Señala el retrato de la chimenea. Manuel lo mira con una imperceptible sonrisa de conmiseración.*)

HÉCTOR. Bueno. En Michoacán [127] y en Jalisco hay indios que tienen los ojos verdes. A veces hasta son güeros. 20

DON RICARDO. (*Molesto.*) Pero nosotros no somos de Michoacán ni de Jalisco. Mi familia es de Oaxaca.[128] (*Pausa. Héctor recapacita.*)

HÉCTOR. ¿Cuántos años tienes, papá?

DON RICARDO. Cincuenta y cuatro. ¿Por qué?

HÉCTOR. (*Calculando.*) Quiere decir . . . que naciste en el año 25 de . . . mil ochocientos noventa y ocho.

DON RICARDO. Exactamente.

HÉCTOR. Y tu papá . . . ¿Cuántos años tendría cuando tú naciste?

DON RICARDO. No sé . . . Trienta y tantos . . .

HÉCTOR. ¿Treinta y cinco? 30

DON RICARDO. Es posible . . .

---

[126] **no . . . nacionalidad**   he only belittles his own nationality.
[127] **Michoacán and Jalisco**   *States in Mexico northwest of Mexico City.*
[128] **Oaxaca**   *State in Mexico, southeast of Mexico City.*

HÉCTOR. (*Sacando la cuenta.*) [129] Noventa y ocho menos treinta y cinco . . . , sesenta . . . y . . . tres. Entonces nació en mil ochocientos sesenta y tres, en plena intervención francesa.[130] A los franceses les gustaban las indias de Oaxaca . . .

DON RICARDO. (*No se le había ocurrido pensar en eso.*[131] *Se queda* 5 *un momento suspenso, luego explota.*) ¡Eres un imbécil! No sabes lo que estás diciendo . . .

HÉCTOR. (*Sin inmutarse.*) [132] ¿Entonces, de dónde saliste prietito? [133]

DON RICARDO. ¿Prietito yo? ¡Habráse oído semejante cosa! [134] (*Atraviesa rápidamente hasta el espejo de la derecha, en el que se mira.* 10 *Se tranquiliza a sí mismo.*) Prietito yo . . .

CARMELA. (*Que ha estado haciéndose gran violencia* [135] *todo el tiempo, se levanta y estalla.*) ¡Héctor! ¡Basta ya de faltarle al respeto a tu padre! [136]

DON RICARDO. (*Yendo hasta ella.*) Déjalo, mujer. Está bromeando. 15 ¿No tienes sentido del humor?

CARLOS. (*Levantándose, a Beatriz.*) Bueno, Beatriz . . . ¿Nos vamos al cine?

BEATRIZ. (*Sorprendida.*) ¿Al cine?

CARLOS. (*Haciendo presión.*) [137] ¿No te acuerdas que habíamos que- 20 dado de ir al Roble? [138]

BEATRIZ. (*No muy convencida.*) Está bien . . . Si tú quieres . . .

CARMELA. ¿No se quedan a cenar entonces?

CARLOS. Tomaremos cualquier cosa por ahí.[139] Mañana es la presentación de Beatriz con todos mis parientes. Pasado mañana, el 25

---

[129] **Sacando la cuenta** Figuring it out.
[130] **intervención francesa** *France's Napoleon III attempted in 1864 to establish an empire in Mexico, with Maximilian of Austria as Emperor. However, with the withdrawal of French troops in 1866, Maximilian's government collapsed, and he himself was ordered shot to death by Benito Juárez in 1867.*
[131] **No . . . eso** It had not occurred to him to think about that.
[132] **Sin inmutarse** implacable; unmoved.
[133] **¿Entonces . . . prietito?** Then, why are you so dark?
[134] **¡Habráse oído semejante cosa!** What an idea!
[135] **Que . . . violencia** Who has been trying very hard to control herself.
[136] **¡Basta . . . padre!** Stop being disrespectful to your father.
[137] **Haciendo presión** Pressing the point.
[138] **Roble** Movie theater in Mexico City.
[139] **Tomaremos . . . ahí** We'll have something over there.

matrimonio civil. Después de eso, no creo que Beatriz tenga tiempo de ir al cine. Luego, el viaje de bodas . . .

BEATRIZ. A mí no me hace tanta falta ir al cine . . .[140]

CARLOS. (*Molesto, pero condescendiente.*) No, si no tienes ganas . . .[141]

BEATRIZ. (*Reaccionando.*) Sí, sí, cómo no. Entonces hasta luego, 5 mamá. (*La besa.*)

HÉCTOR. (*Deja su vaso sobre la mesa de la derecha, se levanta y se va por el mezanín.*) Yo tampoco quiero cenar. Me voy a acostar para levantarme temprano. Buenas noches a todos.

BEATRIZ. Adiós. 10

CARLOS. (*Al mismo tiempo que el anterior.*)[142] Buenas noches.

MANUEL. (*Al mismo tiempo que el anterior.*) Buenas noches.

BEATRIZ. (*Despidiéndose de Manuel.*) Conste que la invitación es en serio.[143] Lo esperamos pasado mañana.

MANUEL. Sí, señorita. Muchas gracias. 15

CARLOS. (*Mientras Beatriz cruza hacia don Ricardo, a la derecha.*) Hasta mañana, señora. Buenas noches.

CARMELA. Buenas noches.

CARLOS. (*Dando la mano a Manuel.*) Mucho gusto.

MANUEL. Buenas noches. 20

DON RICARDO. (*A Beatriz.*) No vuelvan tarde.

CARLOS. (*Que cruza hacia él y le da la mano.*) No tenga cuidado, don Ricardo. Antes de las doce estaremos aquí. (*Yendo a coger las invitaciones de encima del piano.*) Me llevo de una vez[144] las invitaciones. (*Se va, tras de Beatriz, por el vestíbulo.*) 25

MANUEL. Yo también me retiro, don Ricardo, (*Dando la mano a Carmela.*) Señora, he pasado un rato muy agradable.

CARMELA. Mucho gusto, señor Torres. (*Manuel cruza hacia don Ricardo, a la derecha.*)

DON RICARDO. No se olvide de traerme esos proyectos suyos. Me 30 interesa verlos. Y así tendremos oportunidad de volver a platicar.

---

[140] **A . . . cine** I don't care too much about going to the movies.
[141] **si no tienes ganas** if you don't feel like it.
[142] **Al . . . anterior** At the same time as the preceding (speech).
[143] **Conste . . . serio** I am serious about the invitation.
[144] **de una vez** at the same time.

MANUEL. (*Dándole la mano.*) Cuando usted guste, don Ricardo. Yo los tengo listos.

DON RICARDO. Véngase cualquier tarde de éstas por aquí. Mañana mismo, si quiere . . . Sí, mañana, que mi hija se va a esa cena, tendremos tiempo.   5

MANUEL. Perfectamente. Estaré aquí a las siete y media. Muy buenas noches. (*Mutis de Manuel por el vestíbulo. Don Ricardo rehuye deliberadamente la mirada que Carmela fija sobre él, toma el libro que había dejado sobre el respaldo del sofá y lo hojea.*)

CARMELA. Voy a decir que preparen la cena. (*Hace mutis por el* 10 *comedor. En cuanto ella sale, don Ricardo va rápidamente a verse otra vez en el espejo. Desde allí se vuelve a mirar el cuadro de la chimenea y luego se ve de nuevo* [145] *en el espejo. Hundido en sus meditaciones, apaga la luz del candil y entra en la biblioteca con el libro entre las manos. Casi inmediatamente se asoma Héctor por* 15 *la escalera, trayendo su paquete. Se cerciora de que no hay nadie y se dirige rápidamente hacia el vestíbulo. Cuando está a punto de llegar a la puerta, sale Alicia por el comedor. Héctor se vuelve hacia ella y Alicia se detiene a la expectativa.* [146] *Héctor habla con mucho sigilo.*)   20

HÉCTOR. ¿Qué pasó? [147] ¿Vamos a ser amigos?

ALICIA. (*Con voz natural.*) No tengo por qué ser amiga de usted. Yo soy una sirvienta y nada más.

HÉCTOR. ¡Chist! Está bien. Pero no vamos a ser enemigos, ¿verdad?

ALICIA. No soy su enemiga.   25

HÉCTOR. Entonces, pico de cera. [148] Como digas que me viste salir, me las vas a pagar. [149]

ALICIA. Si me lo preguntan, claro que lo digo.

HÉCTOR. (*En tono amenazador.*) Como quieras . . . Pero ¡acuérdate! . . . ¡Ya sabes lo que te dije! (*Se desliza* [150] *rápidamente* 30

---

[145] **se ve de nuevo** looks at himself again.
[146] **a la expectativa** waiting anxiously.
[147] **¿Qué pasó?** How about it?
[148] **pico de cera** keep quiet.
[149] **Como . . . pagar** If you tell them you saw me leave, I'll get even with you.
[150] **Se desliza** He slips out.

*hacia el vestíbulo y hace mutis mientras Alicia recoge los vasos
que quedaron dispersos y los reúne en la charola, con la que hace
mutis por el comedor, por donde, al mismo tiempo, aparece Carmela, quien atraviesa hasta cerca de la puerta de la biblioteca.*)
CARMELA. Ya van a servir la cena.   5
DON RICARDO. (*Aparece por la biblioteca y cruza hasta el sofá.
Desde allí se vuelve hacia Carmela.*) He estado pensando en lo
que hablamos a propósito de Héctor.[151] Me parece que lo mejor
será mandarlo inmediatamente a los Estados Unidos.
CARMELA. ¿Qué es lo que piensas remediar con eso?   10
DON RICARDO. Sacarlo de este medio, de este ambiente . . .[152] Que
vea el mundo civilizado . . . Que se libre del complejo de inferioridad de los mexicanos . . .
CARMELA. Este es el ambiente en que va a vivir. ¿Quieres que regrese
como Beatriz y Jorge, desadaptado, extraño, perdido en su propia 15
tierra?
DON RICARDO. Yo encuentro que Beatriz y Jorge se desenvuelven
muy bien . . .
CARMELA. En lo exterior, sí, demasiado bien. Preferiría yo ver en
ellos la discreción, la mesura, el pudor de los muchachos educados 20
en México. Pero interiormente, yo, que soy su madre, sé que
sufren.
DON RICARDO. (*Sube hacia atrás del sofá.*) Esas son fantasías
tuyas . . .
CARMELA. (*Le sale al encuentro.*) ¡No! ¡No son fantasías! Sólo una 25
madre, como lo soy yo, podía haber visto en sus cartas cuando con-
taban lo felices que eran y todo lo que se divertían en los Estados
Unidos, cómo la tinta se había corrido en alguna parte por las
lágrimas que caían sobre el papel mientras escribían.
DON RICARDO. (*Preocupado, cruza hacia la derecha.*) ¿Alguna vez 30
te han dicho algo?
CARMELA. Nunca. Son demasiado orgullosos para hacerlo. Pero yo
sé que regresaron más heridos y más susceptibles de lo que se

[151] **a propósito de Héctor**   regarding Hector.
[152] **Sacarlo . . . ambiente**   To take him out of these surroundings, this
environment.

fueron, tan sólo para encontrar que en su propia casa se les iba a seguir lastimando.

DON RICARDO. ¿Cómo en su propia casa?

CARMELA. Pero ¿no te das cuenta cómo hablas delante de ellos? ¿Con qué desdén te refieres siempre a los indios, a los prietos, a los 5 mestizos?

DON RICARDO. Lo hago sin darle ninguna importancia, justamente porque, como hijos míos que son, no los considero indios, ni prietos, ni mestizos.

CARMELA. (*Yendo hacia él.*) Pero en el fondo [153] ellos saben que lo 10 son. Como sé que lo soy yo misma. Y no me siento menos lastimada que ellos. Verdaderamente, no sé por qué no te casaste con una güera en lugar de casarte conmigo.

DON RICARDO. Sencillamente, porque me gustaste más que ninguna otra . . . Porque te quise, como te he seguido queriendo hasta 15 ahora . . . No veo en qué haya podido lastimarte con eso . . .

CARMELA. No con eso . . ., sino a pesar de eso . . .[154]

DON RICARDO. Pero ¿cómo? ¿Cuándo? Dímelo . . .

CARMELA. Desde el día en que nació Jorge. Esperaba yo ansiosamente el momento en que entraras en mi cuarto para mostrarte a 20 tu primer hijo. Y aunque hiciste todo lo posible por disimularlo, leí en tus ojos la decepción que sufriste al ver su color moreno. Cuando nació Beatriz, tu desilusión fue mayor, porque, además, era mujer. (*Se sienta, desolada, en la silla de la derecha del piano.*) Pero nunca me sentí tan humillada como el día en que nació 25 Héctor. Fue el día más desgraciado de mi vida y el más feliz de la tuya. Desde entonces te dedicaste a mimarlo, a distinguirlo, a ponerle en todo como ejemplo a sus hermanos, tan sólo porque era güerito y tenía los ojos claros.

DON RICARDO. No puedes reprocharme que lo quiera. Pero te aseguro 30 que estás equivocada. Lo quiero exactamente igual que a Jorge y a Beatriz, y creo haberlo demostrado suficientemente.

CARMELA. (*Se levanta y cruza hacia la mesa de la derecha. Queda de espaldas a don Ricardo.*) Tal vez lo has hecho inconscientemente.

[153] **en el fondo**   deep inside.
[154] **a pesar de eso**   in spite of that.

Pero le has enseñado a despreciarnos a sus hermanos y a mí, sobre todo a causa del color de nuestra piel. Ha acabado por creer que es un ser superior y que nosotros no somos dignos siquiera de considerarnos sus parientes.

DON RICARDO. (*La mira un momento, desconcertado.*) Pero . . . no ⁵ entiendo cómo puedes tener esa idea de Héctor. No me gustaría pensar que no lo quieres . . .

CARMELA. (*Se vuelve, desafiante.*) ¡No! ¡No lo quiero! (*Pausa. Don Ricardo se queda viéndola, en suspenso, sin comprender. Ella baja la vista y se sienta en la silla, a la izquierda de la mesa, encogida* ¹⁰ *y asustada de lo que ha dicho, buscando una explicación a su desahogo.*) Ha sido causa de muchas penas ocultas, de muchos rencores contenidos, de muchas lágrimas disimuladas ¹⁵⁵ . . .

DON RICARDO. En ningún momento llegué a pensar que sucediera semejante cosa. Por el contrario, siempre creí que ésta era la casa ¹⁵ más feliz del mundo. Nada nos ha faltado ¹⁵⁶ . . . Tenemos salud . . . Hemos prosperado . . . Nuestros hijos tienen un porvenir brillante . . . Y en vísperas del matrimonio de nuestra hija, cuando debiéramos estar rebosantes de satisfacción y alegría, me sales con esa revelación absurda. ²⁰

CARMELA. Has estado demasiado ocupado con los problemas de la prosperidad, del porvenir y del éxito para darte cuenta de lo que pasaba en el interior de los que te rodean . . . (*En este momento aparece Alicia por la puerta del comedor.*)

ALICIA. La cena está servida. (*Don Ricardo y Carmela reaccionan* ²⁵ *como si esa frase los despertara y los volviera a la realidad. Después de un instante, ella se levanta, con cansancio.*)

CARMELA. Vamos. (*Camina despacio hacia el comedor, seguida de don Ricardo, mientras cae lentamente el*

T E L Ó N

¹⁵⁵ **lágrimas disimuladas** hidden tears.
¹⁵⁶ **Nada nos ha faltado** We have not lacked anything.

Acto Segundo

ESCENA: *La misma del primer acto, el día siguiente a las siete de la noche. Al levantarse el telón, Carmela está tejiendo sentada en el extremo izquierdo del sofá, a la luz de la lámpara. Las otras lámparas están también encendidas. Después de un momento baja Beatriz de las habitaciones, lista para salir. Camina hasta detrás del sofá. Su madre se vuelve para verla.*

CARMELA. ¿Te vas ya?

BEATRIZ. No, tiene que venir Carlos por mí. Falta más de media hora.[1]

CARMELA. ¿Es en casa de Carlos la cena?

BEATRIZ. Sí. Quieren presentarme con toda su parentela. La verdad 5
es que no tengo ni tantitas ganas de ir.[2]

CARMELA. (*Extrañada.*) ¿Por qué no? Me figuro que deben de ser gente muy fina.[3]

BEATRIZ. (*Se sienta en el respaldo del sofá.*) Demasiado fina. Los que conozco son tan estirados . . ., tan ceremoniosos . . . 10

CARMELA. Los papás de Carlos me parecieron muy amables.

BEATRIZ. Todos son amables. Pero es una amabilidad que ofende. Se creen tan superiores . . . Siempre parece que le están haciendo a una el favor de dirigirle la palabra.[4] Yo me siento cohibida y me entran unas ganas horribles de tirar las copas [5] . . ., de manchar 15
el mantel . . ., de comer con las manos . . .

CARMELA. (*Sorprendida.*) Pero ¿cómo es eso, Beatriz? Tú, que siempre has sido tan cuidadosa, tan educada . . .

---

[1] **Falta más de media hora**   It won't be for half an hour yet.
[2] **no . . . ir**   I don't feel like going at all.
[3] **gente muy fina**   very refined people.
[4] **de dirigirle la palabra**   of talking to you.
[5] **me . . . copas**   I feel a terrible desire to throw glasses around.

BEATRIZ. (*Se levanta, deja el abrigo y la bolsa sobre el respaldo del sofá y camina hacia la derecha, primer término.*) No sé por qué. Nada más entre esa gente me sucede.[6] Es que me siento observada, vigilada como un ser extraño que hubiera caído de pronto entre los habitantes de otro planeta. 5

CARMELA. Yo creo que exageras. Es verdad que ellos pertenecen a una familia de muy rancia aristocracia . . .

BEATRIZ. (*Volviéndose a ella.*) Eso es precisamente lo que no entiendo. Descienden de no sé qué personaje de la Independencia, o de la Reforma, o de la Revolución[7] . . . No estoy segura . . . 10 (*Vuelve a caminar hacia atrás del sofá. Habla con mucha ironía.*) Fue un hombre humilde que peleó en su época por el pueblo, por los hombres iguales a él. Y ahora los descendientes, al mismo tiempo que están muy orgullosos de su antepasado, desprecian al pueblo por el que él peleó y no consideran dignos de alternar con 15 ellos más que a los aristócratas de París . . ., de Biarritz[8] y de la «Côte d'Azur»[9] . . .

CARMELA. (*Se levanta y sale al encuentro[10] de Beatriz por la izquierda del sofá. La toma de la barbilla y la observa un momento.*) Dime, Beatriz . . . ¿No será que no quieres a Carlos? 20

BEATRIZ. (*Sin mucha convicción.*) Él es muy bueno conmigo . . ., muy condescendiente . . . A veces quisiera que no lo fuera tanto . . . o, al menos, que no me lo hiciera sentir. (*Se oye sonar el timbre de la puerta.*)

CARMELA. (*Toma a Beatriz por los hombros. Con firmeza.*) Piénsalo 25 bien. Todavía tienes tiempo. Si no estás enamorada[11] . . . Si dudas del amor de Carlos . . ., nada te obliga a comprometer tu

---

[6] **Nada . . . sucede** It only happens to me among those people.
[7] **Independencia; Reforma; Revolución** *The three great revolutions in Mexico's history: the first was fought against Spain (1810–1821); the second (1858–1861) attempted to destroy the colonial system inherited from Spain; the third, which began in 1910, attempted to destroy the "hacienda" system and redistribute the land.*
[8] **Biarritz** *Fashionable resort in southwestern France on the Bay of Biscay.*
[9] **«Côte d'Azur»** French Riviera.
[10] **sale al encuentro** goes out to meet.
[11] **Si no estás enamorada** If you are not in love.

felicidad para toda la vida . . . (*Alicia cruza del comedor al vestíbulo.*)

BEATRIZ. (*Camina, pensativa, hacia la derecha. De pronto, como rechazando una idea sombría, se vuelve hacia su madre con exagerada alegría.*) ¡Qué absurdo! ¡Si yo adoro a Carlos y estoy segura 5 de que él me quiere! Mañana a estas horas estaremos firmando el acta matrimonial [12] y vamos a ser la pareja más feliz del mundo.

CARMELA. (*Desconcertada, tratando de leer en el corazón de su hija.*) Pero lo que acabas de decirme . . .

BEATRIZ. (*Yendo hacia Carmela.*) Puras tonterías, mammy . . . 10 Todo el mundo tiene algo criticable . . . Y ya sabes que a mí me gusta manejar las tijeras [13] . . . (*Le hace un cariño en la mejilla.*) Ni siquiera vale la pena hablar de eso. Voy a leer un rato mientras viene Carlos. (*Se dirige a la biblioteca y se tropieza con Héctor, que aparece por el vestíbulo con un paquete semejante al que sacó 15 en el primer acto.*)

HÉCTOR. ¿Quihúbole, changuita? [14]

BEATRIZ. (*Furiosa.*) ¡Oye, mocoso! A mí no me vengas con tus majaderías. Yo no me meto para nada contigo y no quiero que tú te metas conmigo. (*Cruza hacia la puerta de la biblioteca y se 20 vuelve a las palabras de Héctor, en actitud arisca.*)

HÉCTOR. ¡Ujule [15] . . .! Pues qué susceptibles se me han vuelto todos en esta casa . . .

CARMELA. (*Enérgica.*) ¡Héctor! ¡Ven aquí! (*El se acerca despacio, cohibido, al centro de la escena.*) De una vez por todas,[16] quiero 25 que sepas que no voy a seguir tolerando que molestes a tus hermanos con motes y apodos despectivos. Si eso se repite, aunque sea una sola vez, me harás el favor de no volver a dirigirme la palabra. (*Vuelve a sentarse en el sofá y se pone a tejer con gran rapidez.*)

BEATRIZ. (*Desde la puerta de·la biblioteca a Héctor.*) Una de las 30

---

[12] **acta matrimonial**   marriage register.
[13] **manejar las tijeras**   to criticize.
[14] **changuita**   (*Mexicanism*) *Term used to refer to a young female.*
[15] **¡Ujule!**   *Exclamation of surprise.*
[16] **De . . . todas**   Once and for all.

cosas por la que estoy más contenta de casarme, es porque ya no voy a tener que soportar que me des la lata a todas horas.[17] (*Mutis.*)

HÉCTOR. (*Se queda un momento contemplando su paquete, indeciso. Luego va por el lado derecho del sofá a colocarse frente a su madre. Habla en tono suplicante.*) Mamacita . . . Si yo no les   5
digo nada a mis hermanos [18] por ofenderlos . . . Como ellos son más grandes y no me toman en cuenta [19] . . . yo les hago bromas . . ., por jugar [20] . . ., como un pretexto para que hablen conmigo . . .

CARMELA. (*Sin levantar la vista de su tejido.*) Podías encontrar otros   10
pretextos menos desagradables.

HÉCTOR. (*Se sienta junto a ella en el sofá.*) No te enojes conmigo, mamacita . . . Mira . . . Te traje un regalo . . . (*Muestra el paquete y empieza a abrirlo.*)

CARMELA. (*Lo mira de reojo [21] y se desconcierta.*) Debiste haber   15
comprado mejor un regalo de boda para tu hermana.

HÉCTOR. Ya lo compré también. Pero ése va a ser una sorpresa. Mira. ¿No te gusta? (*Saca una elegante bolsa de señora y se la muestra.*)

CARMELA. (*Tomándola.*) Es muy elegante . . . Y muy fina [22] . . .
Te lo agradezco mucho. Pero . . . ¿de dónde has sacado tanto   20
dinero? [23]

HÉCTOR. Pst . . . Negocios que hago yo . . . Tú sabes . . .

CARMELA. No me agrada esa afición tuya a . . . los negocios, como tú dices. Lo que sé es que muchas veces les compras a tus amigos objetos que ellos sacan de sus casas sin permiso de sus padres. Como   25
lo haces tú. Preferiría verte emplear tu inteligencia en algo más digno, más noble . . .

HÉCTOR. (*Dolido.*) Mamacita, no me regañes . . ., yo quería darte gusto . . ., verte contenta . . . Nunca eres cariñosa conmigo

[17] **no . . . horas** I won't have to put up with your constant annoyance.
[18] **Si . . . hermanos** *Don't translate* **si.**
[19] **no . . . cuenta** they do not pay any attention to me.
[20] **por jugar** to kid around.
[21] **Lo mira de reojo** Looks at him from the corner of her eye.
[22] **y muy fina** and very stylish.
[23] **¿de . . . dinero?** where did you get so much money?

. . . A veces pienso que no me quieres. (*Carmela deja la bolsa sobre el sofá, se levanta y cruza hacia la derecha para ocultar su emoción a Héctor. Este continúa desde su lugar con aire abatido.*) [24] Yo creo que por eso no me quieren mis hermanos tampoco. Nadie me quiere. Debo de ser muy malo . . . Pero yo no me doy 5 cuenta . . . Yo los quiero a todos y hago lo que puedo por agradarlos . . . Pero todo lo que hago no sirve más que para enfurecerlos contra mí. Si no fuera por mi papá, no sé qué sería de mí en esta casa . . .

CARMELA. (*Se vuelve a él haciendo esfuerzos por dominarse.*) No, 10 hijo . . . No debes hablar así. Todos te queremos. Lo que pasa es que tú te empeñas en decir a tus hermanos cosas que los lastiman . . . y . . ., es natural . . ., con eso me lastimas también a mí.

HÉCTOR. (*Va rápidamente hasta ella, conteniendo las lágrimas.*) 15 Perdóname, mamacita . . . Nunca he tenido la intención . . . ¿Cómo iba yo a querer lastimarte?

CARMELA. (*Lo estrecha contra su pecho y permanece erguida, sufriendo. Luego se aparta, secando furtivamente una lágrima. De espaldas a él, le tiende la mano.*) Dame la bolsa. (*Él se la da. Ella* 20 *le hace un cariño, esforzándose por sonreír.*) [25] Muchas gracias. De veras te lo agradezco. De todo corazón. (*Y se retira apresuradamente por la escalera. Héctor la ve irse, luego da unos pasos meditando seriamente, pero ya confortado. Se detiene y saca con grandes esfuerzos de la bolsa del pantalón un reloj despertador que* 25 *se pega al oído, moviéndolo para cerciorarse de que no anda.*[26] *Luego saca de la bolsa trasera* [27] *un desarmador y empieza a desatornillar el reloj. Para mayor comodidad, se sienta a la derecha del sofá. Poco después, aparece Beatriz por la biblioteca, con un libro en las manos.*) 30

BEATRIZ. ¿Qué hora tienes?

[24] **con aire abatido**   dejectedly.
[25] **esforzándose por sonreír**   forcing herself to smile.
[26] **que . . . anda**   that he puts to his ear shaking it to make sure it is not running.
[27] **bolsa trasera**   back pocket.

HÉCTOR. (*Mostrándole el despertador.*) No anda. Pero ahorita lo voy a componer y te lo digo. (*Beatriz se retira hacia el piano, riendo, pero Héctor la llama confidencialmente, y dejando reloj y desarmador sobre el sofá, va hacia ella a la vez* [28] *que saca de otra bolsa una vieja cartera con toda clase de papeles y recortes que* 5 *empieza a hojear.*) Pst . . . Mira . . . Te voy a enseñar una cosa. Aquí está. No, no es ésta . . . ¡Ah, sí! . . . Ésta es . . . (*Desdobla un recorte que muestra a Beatriz.*) Ahí tienes a Jorge con la rubia más superplatino [29] que ha venido a México. La mandó traer [30] de los Estados Unidos y le está enseñando español 10 para que trabaje en sus películas. Y además . . . le regaló un convertible «Cadillac».

BEATRIZ. (*Le devuelve el recorte. Reconviniéndole.*) ¿Y tú por qué andas espiando a Jorge?

HÉCTOR. (*Sorprendido.*) ¡Yo no lo ando espiando! Los periódicos 15 publican su retrato y yo lo recorto para enseñarles a mis amigos la clase de hermano que tengo [31] . . .

BEATRIZ. (*Desconfiada.*) ¿Qué clase?

HÉCTOR. De la clase de convertibles . . .

BEATRIZ. (*Riendo, le da un coscorrón.*) ¡Baboso! (*Héctor se aparta,* 20 *riendo también.*) Y no vayas a llenar de basura todos los muebles con tu matraca.

HÉCTOR. Bueno . . . Bueno . . . Ya me voy con la música a otra parte.[32] (*Beatriz va a sentarse al banquillo del piano, vuelta hacia el público, y continúa leyendo en su libro. [Si la actriz toca el* 25 *piano, puede tocar un fragmento de algún «Nocturno» de Chopin.] Héctor se está guardando la cartera cuando se oye sonar el timbre de la puerta, y él mismo se va por el vestíbulo para abrir. Se escuchan débilmente los saludos de Héctor y Manuel.*)

VOZ DE MANUEL. Buenas noches. ¿Está tu papá? 30

VOZ DE HÉCTOR. No debe tardar en llegar.[33] Pase usted a esperarlo.

[28] **a la vez** at the same time.
[29] **con . . . superplatino** with the blondest girl.
[30] **La mandó traer** He sent for her.
[31] **la . . . tengo** the kind of brother I have.
[32] **Ya . . . parte** I'll take my things some place else.
[33] **No . . . llegar** It won't be long before he arrives.

VOZ DE MANUEL. Si no es ninguna molestia . . .

VOZ DE HÉCTOR. No, no; pase . . . (*Aparecen los dos por la puerta del vestíbulo. Manuel trae una carpeta en la mano. Beatriz se da cuenta de su presencia y se levanta positivamente encantada, mientras Héctor recoge reloj y desarmador del sofá.*) 5

MANUEL. Buenas noches, señorita.

BEATRIZ. Buenas noches, señor Torres. No esperaba verlo hasta mañana.

MANUEL. Anoche, después de que usted se fue, su papá me dio una cita para hoy. Tengo que mostrarle estos papeles. 10

BEATRIZ. Es raro que no esté aquí ya. Pase a sentarse.

HÉCTOR. (*Acercándose a Manuel.*) ¿Usted conoce de relojes,[34] señor Torres?

MANUEL. No creo ser lo que se llama un conocedor . . .

HÉCTOR. (*Mostrándole el despertador.*) Es suizo . . . Antimag- 15 nético . . . Y la campana del despertador es tan suave y tan agradable, que la gente puede seguir durmiendo cuando suena.

MANUEL. (*Cruza, riendo, hacia el primer término izquierda.*) Debe de ser el despertador ideal.

HÉCTOR. Y todo por dos cincuenta. Es cierto que no anda, pero . . . 20

BEATRIZ. (*Por lo bajo, a Héctor.*) ¡Héctor! Ya está bien.[35]

HÉCTOR. Sí, sí . . . Ya me voy . . . (*Se escabulle hacia el mezanín, donde continúa su trabajo sobre el «couch».*)

MANUEL. (*Volviéndose a Beatriz.*) No quisiera interrumpir. Continúe lo que estaba haciendo y no se moleste por mí. 25

BEATRIZ. (*Bajando hasta la silla izquierda de la mesa de la derecha.*) No es ninguna molestia. Al contrario, lo que siento es que dentro de un momento voy a tener que irme.

MANUEL. Obre usted con toda libertad, señorita.

BEATRIZ. (*Con coquetería.*) Y no me diga señorita. Me suena tan 30 raro . . . Llámeme por mi nombre: Beatriz.

MANUEL. (*Complacido.*) Si usted lo prefiere . . .

BEATRIZ. Naturalmente. (*Pequeña pausa. Ella se sienta en la silla de*

---

[34] **¿Usted conoce de relojes . . . ?** Do you know anything 'about clocks . . . ?
[35] **Ya está bien** Enough of that.

la izquierda de la mesa. Habla en tono indiferente, por iniciar una conversación.) ¿Son asuntos de los laboratorios los que va usted a tratar con mi papá? [36]

MANUEL. Mmmm . . . No precisamente. Quiero enseñarle unos apuntes que he hecho sobre la posibilidad de experimentar con 5 nuevas materias primas para fabricar productos medicinales distintos de los que hay en el mercado.

BEATRIZ. ¡Qué interesante! ¿Son materias primas que usted ha descubierto?

MANUEL. No, no, de ningún modo.[37] (*Cruzando a sentarse en la silla* 10 *de la derecha de la mesa.*) Han existido siempre en la naturaleza, en las plantas de México. Durante siglos, los habitantes del campo han aprendido a conocer por experiencia el valor curativo de esas plantas. Algunos sabios las han clasificado y las han consignado en unos cuantos libros que nadie ha leído y que seguirán empolván- 15 dose en las bibliotecas quién sabe hasta cuándo.

BEATRIZ. Es una vergüenza.

MANUEL. El pueblo, naturalmente, sigue usándolas en forma de infusiones, de ungüentos, de cataplasmas. Pero nadie, o casi nadie, se ha molestado en analizar las sustancias curativas que contienen. 20 Y como no han sido consagradas por la ciencia europea, continúan ignoradas o desdeñadas, vendiéndose en los mercados como cosa de brujos y yerberas,[38] para uso de las clases incultas.

BEATRIZ. (*Divertida.*) Es verdad. Nuestra cocinera tiene siempre una colección de manojitos que nos recomienda para toda clase de 25 enfermedades. Pero el médico jamás nos ha permitido tomarlas.

MANUEL. (*Se levanta y cruza a la izquierda, hablando con ironía.*) Tal parece que en México hasta las yerbas silvestres son inferiores a las del resto del mundo . . . (*Se vuelve.*) Pero una de esas yerbas, por ejemplo, es la «cabeza de negra».[39] De allí están ob- 30

---

[36] **¿Son . . . papá?** Are you going to discuss matters concerning the laboratories with my father?

[37] **de ningún modo** by no means.

[38] **brujos y yerberas** witch doctors.

[39] **«cabeza de negra»** *A type of water lily found in Mexico.*

teniendo ahora la última maravilla de la medicina: la cortisona,[40] que durante mucho tiempo sólo se pudo administrar a unos cuantos enfermos privilegiados, porque únicamente la extraían en dosis mínimas de una glándula del buey. Y la «cabeza de negra» [41] la han vendido siempre las yerberas en los mercados. 5

BEATRIZ. (*Yendo hacia él.*) Nadie lo hubiera dicho, al ver esos tenderetes miserables en los mercados.

MANUEL. (*Se sienta en el brazo izquierdo del sofá. Con humor.*) Y sin embargo . . . es en esa miseria en donde hay que buscar la verdad y la grandeza de México. 10

BEATRIZ. (*Se queda mirándolo, fascinada. Después de un momento, va a sentarse en el sofá, junto a él. Habla para sí misma.*) Debe de ser tan maravilloso aventurarse a investigar en el misterio de tantos siglos y en los secretos de tantas razas desconocidas para nosotros. (*Pausa. Luego, como si despertara.*) Estoy segura de que 15 a mi papá va a interesarle su proyecto tanto como a mí.

MANUEL. (*Caminando hacia la chimenea.*) Desgraciadamente, su papá, como la mayoría de los mexicanos, no cree en los mexicanos. La prueba: tiene sus negocios encomendados a un extranjero. Y no es que yo ponga en tela de juicio [42] la capacidad y la buena fe 20 de los extranjeros. Pero es natural que no tengan ningún interés en el engrandecimiento ni en el futuro de un país que no es el suyo. Salvo muy raras excepciones, cuando uno sale de su casa a buscar fortuna, lo que importa son los resultados inmediatos. Y el que venga atrás, que se las componga como pueda [43] . . . 25

BEATRIZ. Pero lo que usted explica me parece tan lógico y tan claro, que yo creo que cualquiera puede entender las ventajas de intentarlo . . .

MANUEL. (*Va a sentarse en el sofá, a la derecha de Beatriz.*) No es fácil . . . El proyecto requiere mucho tiempo, mucho esfuerzo y 30

---

[40] **cortisona** Cortisone, *a hormone secreted by the outer layers of the adrenal glands and duplicated by chemical synthesis. The drug is prescribed for rheumatoid arthritis and has power beneficial in varying degrees in cases of asthma, Addison's disease, and rheumatic fever.*

[41] **«cabeza de negra»** *See note 39.*

[42] **no . . . juicio** it is not that I doubt.

[43] **Y . . . pueda** And whoever comes later, let him manage as he can.

mucho dinero . . . Mis trabajos hasta ahora han sido puramente teóricos, porque los he hecho en los ratos libres,[44] por las noches, en mi casa, donde no tengo ninguno de los elementos necesarios . . .

BEATRIZ. ¿Vive usted solo? 5

MANUEL. Con mi madre, señorita Beatriz.

BEATRIZ. (*Con un signo de advertencia amistosa.*)[45] Beatriz . . . (*Los dos ríen.*)

MANUEL. Vivimos en ese populoso edificio que está a espaldas de esta casa,[46] a solo dos cuadras de aquí. 10

BEATRIZ. ¿Y por qué no se ha casado?

MANUEL. Pues . . . , primero . . . , porque no he tenido con quién [47] . . . Y después . . . , porque con el costo de la vida y el valor de nuestra moneda, el matrimonio se ha convertido en un lujo en el que la clase media ya no puede pensar. (*Se oye abrir la puerta* 15 *exterior del vestíbulo.*)

BEATRIZ. Entonces, según usted, la clase media tendrá que desaparecer.

MANUEL. Si no cambian las condiciones actuales, temo que sí.

HÉCTOR. (*Desde su lugar*). Con aumentar el número de las emplea- 20 das en las oficinas y el de los niños en la casa de cuna,[48] está todo resuelto.

BEATRIZ. (*Se levanta y se vuelve enojada hacia él.*) ¡Héctor! No abres la boca más que para decir impertinencias. (*Manuel, riendo, se levanta y se aparta a la izquierda.*) 25

DON RICARDO. (*Aparece por el vestíbulo. Ha oído las palabras de Beatriz.*) ¿Qué es lo que ha dicho ahora el joven genio?

BEATRIZ. (*Yendo a besar a don Ricardo en la mejilla.*) ¿Qué quieres que diga? Puras tonterías.[49]

HÉCTOR. (*Desde su lugar, saludando con la mano.*) ¡Hello, chief! 30

DON RICARDO. (*Cruzando a saludar a Manuel. Beatriz baja al primer*

[44] **ratos libres**   spare time.
[45] **advertencia amistosa**   friendly warning.
[46] **que . . . casa**   which is behind this house.
[47] **no . . . quién**   I haven't found the right girl.
[48] **casa de cuna**   home for illegitimate children.
[49] **Puras tonterías**   Sheer nonsense.

término, derecha.) ¿Cómo está, ingeniero? Perdóneme por haberme retrasado, pero tuvimos junta en el banco, y ya sabe usted lo que son esas cosas.

MANUEL. No tenga cuidado, don Ricardo. He pasado un rato muy agradable en compañía de la señorita Beatriz. (*Se oye abrir la* 5 *puerta exterior del vestíbulo.*)

BEATRIZ. Me explicó en qué consiste su proyecto. Y quedé convencida [50] de que es algo muy importante, en que tienes que ayudarlo.

DON RICARDO. (*Mira rápidamente a uno y a otra, con aire sospechoso, al que en seguida da un aspecto de burla.*) [51] ¡Ajá! . . . De manera 10 que ya cuenta usted con una cabeza de playa en esta casa . . .

MANUEL. Eso, cuando menos, tengo adelantado.[52]

DON RICARDO. Se ve que no pierde usted el tiempo. ¿Trajo sus papeles?

MANUEL. (*Señalando la mesa donde los dejó.*) Allí los tiene usted.

DON RICARDO. Pues vamos a verlos en seguida. (*Va a iniciar el mutis* 15 *por la biblioteca, pero se detiene porque ve aparecer a Jorge por el vestíbulo con tres o cuatro libros en las manos.*)

JORGE. Buenas noches.

DON RICARDO. ¡Hola! ¿Ya vienes a bañarte?

JORGE. Claro que sí, papá. Yo soy una persona civilizada. 20 .

DON RICARDO. Eso quiere decir que hoy tampoco vas a cenar en tu casa . . .

JORGE. Estoy invitado a una «avant-première» . . .

DON RICARDO. (*Fijándose repentinamente en los libros.*) ¡Pero qué veo . . . ! ¿Tú con libros? ¿Es que ya vas a empezar a leer tam- 25 bién?

JORGE. Ni modo [53] . . . Se me ocurrió que un buen asunto sería una combinación de «Los tres mosqueteros» [54] con «Los tres lanceros de Bengala»,[55] naturalmente, con charros . . .

[50] **quedé convencida** I was convinced.
[51] **Mira . . . burla** He looks at them suspiciously, but immediately changes to a jocular mood.
[52] **Eso . . . adelantado** At least I have that much.
[53] **Ni modo** Not a chance.
[54] **«Los tres mosqueteros»** *The Three Musketeers, a novel by Alexander Dumas (1803–1870).*
[55] **«Los tres lanceros de Bengala»** *Probably refers to The Lives of a Bengal Lancer (1930), by Francis Yeats-Brown.*

DON RICARDO. Pues sí que es toda una combinación . . .

JORGE. Desde luego es más seguro que un asunto original de cualquier mamarracho de por aquí, y de ese modo no hay que pagar derechos de autor.[56] Pero lo malo es que me tengo que leer todos estos mamotretos, porque no me acuerdo bien de cómo van. 5

HÉCTOR. (*Asomándose al barandal del mezanín, sin ver a Carmela, que en ese momento aparece por la escalera de las habitaciones. A Jorge, con exagerada amabilidad.*) Oye, güero . . .

JORGE. (*Se vuelve como por resortes, avienta los libros sobre el piano* [57] *y sube corriendo al mezanín.*) ¡Con un demonio![58] ¡Te 10
voy a dar una lección de una buena vez [59] a ver si aprendes a no burlarte de mí!

HÉCTOR. (*Al mismo tiempo, arrinconándose y cubriéndose la cara para evitar el golpe con que lo amenaza su hermano.*) ¡Oye! ¡Espera! ¡Déjame explicarte! 15

CARMELA. (*Al mismo tiempo, gritando.*) ¡Jorge! ¡Héctor! ¡Quietos!

DON RICARDO. (*Al mismo tiempo, yendo rápidamente hasta el piano y dominando todas las otras voces.*) ¡Jorge! ¡Hazme el favor de guardar compostura![60] (*Hay un segundo de silencio; Jorge se vuelve, extrañado y dolido, hacia su padre.*) 20

JORGE. Pero ¿todavía es a mí a quien llamas la atención, papá?

DON RICARDO. Ya no estás en edad de portarte como un chiquillo. (*Avergonzado, Jorge hace un ademán de impotencia.*) Y tú, Héctor, que sea la última vez que das motivo para que tu hermano nos ofrezca estos espectáculos. Parece que cuando menos eso ha aprendido en el cine. ¡A ser muy macho! [61] 25

CARMELA. (*Bajando del mezanín, en tono de recomendación.*) [62] ¡Ricardo! (*A Héctor.*) ¿Recuerdas lo que te dije hace un momento, Héctor? (*Se oye sonar el timbre de la puerta.*)

---

[56] **derechos de autor**   royalties.

[57] **Se . . . piano**   He turns around as if on springs, throws the books on the piano.

[58] **¡Con un demonio!**   Dammit!

[59] **de una buena vez**   once and for all.

[60] **¡Hazme . . . compostura!**   Please control yourself!

[61] **¡A ser muy macho!**   To be a real he-man!

[62] **en tono de recomendación**   in a warning tone.

HÉCTOR. (*Asustado.*) Pero déjenme explicarles . . . Yo le dije
así . . . para que no se enojara si le decía . . . de otro modo . . .
Y lo que iba a decirle . . . es que si quería, yo leía los libros y
luego se los contaba para que él no tuviera que leerlos . . .

DON RICARDO. (*Volviéndose a Carmela.*) ¿Lo ves? (*Luego, a Jorge.*) 5
¿Ves cómo Héctor tenía las mejores intenciones? Y tú te pones
hecho un basilisco.[63] Bueno, se acabó.[64] ¿Estás de acuerdo en lo
que te propone tu hermano?

JORGE. (*Violento.*) Está bien. Que haga lo que le dé la gana.[65]

DON RICARDO. (*Tomando los libros del piano y pasándoselos a Héctor* 10
por encima del barandal.) Aquí están los libros. Y vete a leerlos a
tu cuarto. (*A Jorge.*) Y tú, a bañarte de una vez. (*Jorge se va*
rápidamente por la escalera. Héctor, tras de tomar los libros, recoge
del «couch» el reloj y el desarmador y lo sigue.)

BEATRIZ. (*Que se ha mostrado muy nerviosa y apenada, cruzando* 15
hacia Manuel, quien, vuelto de espaldas [66] *a la escena, ha adoptado*
una actitud discreta.) Perdone usted, Manuel. Es una vergüenza
que pasen estas cosas . . .

CARMELA. (*Reparando en Manuel, baja hasta el respaldo del sofá.*)
¡Ay! Es verdad . . . Dispénsenos a todos . . . Yo ni siquiera le 20
he saludado.

MANUEL. No tiene ninguna importancia. Es muy natural que suceda
eso entre muchachos . . .

CARLOS. (*Aparece por el vestíbulo, vestido de etiqueta.*) ¿Cómo están
ustedes? 25

DON RICARDO. (*Dándole la mano.*) ¿Qué tal, Carlos? ¿Se van ya a
esa cena?

CARLOS. Sí, don Ricardo. (*Cruzando a saludar a Carmela.*) Buenas
noches, señora.

CARMELA. ¿Cómo le va, Carlos? 30

CARLOS. (*A Beatriz.*) ¿Ya estás lista? (*A Manuel.*) Buenas noches,
señor. (*Manuel responde con una inclinación de cabeza.*)

---

[63] **Y . . . basilisco** And you get in an ugly mood.
[64] **se acabó** it's all over.
[65] **Que . . . gana** Let him do as he pleases.
[66] **vuelto de espaldas** with his back turned.

BEATRIZ. (*Subiendo por la derecha del sofá.*) Completamente. Hace más de media hora.[67]

CARLOS. (*Toma el abrigo de Beatriz del respaldo del sofá y la ayuda a ponérselo. Luego le pasa la bolsa y los guantes.*) No es tarde, pero nos vamos en seguida para llegar a tiempo.   5

DON RICARDO. (*Que ha bajado al primer término, derecha.*) ¿No se toman un trago antes de irse? [68]

CARLOS. Muchas gracias, don Ricardo; pero van a estar en la cena todos mis parientes y ya sabe usted que, para la gente educada en Europa, la puntualidad es una cosa de elemental educación. No   10 quisiera que se formaran una mala idea de Beatriz. (*Beatriz voltea a verlo con un gesto de reproche.*)

DON RICARDO. (*Aceptando la frase con humor, como una lección.*) Bueno, bueno . . . No insisto. Espero que se diviertan. Salúdenos a sus papás.   15

CARLOS. Muchas gracias. Hasta mañana, entonces. (*Inicia el mutis por el vestíbulo y se detiene a esperar a Beatriz, que besa a su madre.*)

BEATRIZ. Adiós, mammy . . .

CARMELA. Adiós, hija.   20

BEATRIZ. (*Bajando por la derecha del sofá para despedirse de Manuel. Éste le sale al encuentro, en el centro del proscenio.*) Entonces, lo esperamos mañana. No se olvide.

MANUEL. De ningún modo. Aquí estaré.

BEATRIZ. (*Con un guiño, cruzando los dedos, por lo bajo.*) [69] Y   25 mucha suerte.

MANUEL. Gracias.

BEATRIZ. (*Yendo a besar a su papá.*) Hasta luego, papá.

DON RICARDO. (*Tomando la carpeta de Manuel de encima de la mesa y hojeándola, indica a éste la puerta de la biblioteca.*) Veremos de   30 una vez esto. Hágame el favor de pasar.

MANUEL. (*A Carmela.*) Con su permiso, señora.

CARMELA. Usted lo tiene.

[67] **Hace . . . hora**   I have been for more than a half hour.
[68] **¿No . . . irse?**   Won't you have a drink before leaving?
[69] **cruzando . . . bajo**   crossing her fingers, she says in a low voice.

MANUEL. (*Cruza hasta don Ricardo y le deja el paso.*) [70] Después de usted, don Ricardo. (*Hacen mutis los dos por la biblioteca. Carmela medita un instante, preocupada, apoyándose en el respaldo del sofá. Luego, como si tomara alientos,*[71] *baja por la izquierda hasta la mesita, de donde toma su tejido, y se sienta con cansancio en el lado izquierdo del sofá. Se queda mirando vagamente delante de sí,*[72] *y al fin, rechazando su preocupación, se pone a tejer. Poco después se oye sonar el timbre de la puerta y al cabo de un momento Alicia aparece por la puerta del vestíbulo y desde allí anuncia.*)   5

10

ALICIA. Está aquí el señor Zeyer con otro señor.

CARMELA. (*Después de un instante, con disimulado sobresalto.*) [73] Dígale que pase. (*Deja el tejido sobre la mesita y se levanta.*)

ALICIA. (*Desde la puerta.*) Que pase usted, señor. (*Se va por el comedor.*)   15

VOZ DE ZEYER. Cómo no, con mucho gusto. (*Aparece Zeyer precipitadamente por el vestíbulo. Al ver a Carmela, se detiene bruscamente, un poco cohibido. Zeyer es un tipo indefinido de comerciante extranjero, rubio, de cuarenta y ocho años, que lo mismo puede ser noruego, que suizo o checoslovaco. Habla perfectamente el español*   20 *con acento mexicano, y solo se advierte que no es su lengua original por la pronunciación muy abierta de las vocales y por el prurito de usar con exceso y no siempre con exactitud, los modismos mexicanos. Se le nota visiblemente alterado.*)

ZEYER. ¡Ah! Buenas noches.   25

CARMELA. (*Que también disimula cierta impresión al verlo.*) Pase, Daniel . . . Buenas noches.

ZEYER. (*Yendo, ya repuesto, a darle la mano.*) Perdón . . . Creí que estaba aquí Ricardo.

CARMELA. (*Retira la mano, sin mucho aspaviento, pero casi instantá-*   30 *neamente.*) Está tratando un asunto en la biblioteca. Voy a llamarlo. (*Cruza hacia la biblioteca.*)

---

[70] **le deja el paso**   lets him by.
[71] **como si tomara alientos**   taking courage.
[72] **Se . . . sí**   She remains staring blankly straight ahead.
[73] **con disimulado sobresalto**   with hidden fear.

ZEYER. Gracias.

CARMELA. (*En la puerta de la biblioteca.*) Ricardo . . . Aquí está Daniel. (*Volviéndose, sube hacia el centro, en segundo término.*) Siéntese usted.

ZEYER. Muchas gracias. (*Dando muestras de impaciencia, va nervio-* 5 *samente hasta la chimenea.*)

DON RICARDO. (*Apareciendo por la biblioteca.*) ¡Hola, Daniel! ¿Qué milagro es éste? Hace años que no te hago venir a mi casa ni amarrado [74] . . .

ZEYER. (*Adelanta unos pasos hacia él y dirige una mirada inquieta* 10 *a Carmela.*) Es que . . . Mi viejo, necesito hablar contigo urgentemente.

CARMELA. Con permiso.

DON RICARDO. No, no te vayas . . . Tenemos que celebrar juntos esta sorpresa . . . 15

CARMELA. De todos modos . . . Tengo que ver la cena [75] . . .

DON RICARDO. ¡Buena idea! (*A Zeyer.*) Supongo que te quedarás a cenar . . .

ZEYER. Te lo agradezco mucho . . . , pero no sé si podré . . . Tenemos un problema muy serio en los laboratorios. 20

CARMELA. Como guste. [76] (*Hace mutis por el comedor.*)

DON RICARDO. (*Alerta.*) ¿Qué es lo que te pasa?

ZEYER. (*Sube hasta el segundo término para ver recelosamente hacia el vestíbulo. Luego baja, toma del brazo a don Ricardo y apartándolo hacia la izquierda,*[77] *habla con sigilo.*) Una mordida, 25 mi viejo. Imagínate que traigo aquí a un cuatezón [78] que quiere cincuenta mil lanas.

DON RICARDO. (*Alarmado.*) ¿Cómo, cincuenta mil lanas? ¿Por qué?

---

[74] **Hace . . . amarrado** For years I haven't been able to get you to come to my house on any pretext.

[75] **De . . . cena** At any rate I have to see how supper is coming.

[76] **Como guste** As you wish.

[77] **apartándolo hacia la izquierda** taking him aside to the left.

[78] **cuatezón** (*Mexicanism*) *from the Nahuac word* **cuatl,** (brother or friend), *which gave rise to* **cuate** friend. *Here,* **cuatezón** *is used sarcastically with the meaning of* "great friend."

ZEYER. Una de nuestras vacunas. Parece que no dio resultado y se petateó un escuincle de difteria.[79]

DON RICARDO. (*Se aparta un paso y lo mira con desconfianza.*) ¿No estarás haciendo alguna tontería que nos vaya a meter en dificultades?[80]

ZEYER. (*Dolido.*) ¡Hombre, hermano! ¡Me crees tan pazguato! Yo me las averiguo para que la producción salga barata[81] . . . Eso ya lo sabes . . . Pero no soy capaz de una cosa así, mi viejo. Tú me conoces . . .

DON RICARDO. Entonces . . . es cuestión de demostrar que no es culpa de los laboratorios. No tienes por qué darle mordidas a nadie.[82] Este individuo . . .

ZEYER. Es un periodista que se olió la cosa.[83] Un tal Ramírez. Al principio quería cien mil.

DON RICARDO. (*Cruza a la izquierda, preocupado.*) No me gusta que se enteren de que tengo negocios fuera del banco. Estas cosas deberías resolverlas tú solo.

ZEYER. (*Quejumbroso.*) ¡Mi viejo! ¿De dónde quieres tú que agarre yo cincuenta mil lanas así nomás?[84] En caja no llegamos a los veinte, y hay que rayar el sábado.[85] Claro que tenemos cobros pendientes por diez veces más, pero ya sabes cómo se hacen patos los clientes.[86]

DON RICARDO. ¿Y yo? ¿Crees que tengo amontonado el dinero? Sobre todo ahora, con todos los gastos del matrimonio de mi hija. Pero . . . , en todo caso . . . , no debiste haberme traído aquí a ese periodista.

---

[79] **se . . . difteria** a kid died of diphtheria.

[80] **¿No . . . dificultades?** You're not doing anything foolish which may get us in trouble?

[81] **Yo . . . barata** I manage to see to it that the operations are economical.

[82] **No . . . nadie** There is no reason why you have to pay blackmail to anyone.

[83] **se olió la cosa** got wind of the thing.

[84] **así nomás** just like that.

[85] **En . . . sábado** We scarcely have twenty in cash, and we have to meet the payroll on Saturday.

[86] **ya . . . clientes** you already know how the customers pretend they have no money.

ZEYER. Es que ese tipo lo sabe todo. No hay nada que ocultarle. Y no te imaginas lo perro que se puso.[87] Tienes que ayudarme a torearlo.

DON RICARDO. (*Aceptando lo inevitable.*) Si no queda otro remedio [88] . . . Pero ese dinero no hay que darlo de ningún modo. 5

ZEYER. ¡Naturalmente que no! Voy a decirle que pase. (*Va a la puerta del vestíbulo. En el camino se transfigura y adopta un tono de exagerada cordialidad.*) ¡Pásele, mi amigo! (*Aparece Ramírez con el sombrero en la mano. Es un tipo esmirriado, descuidadamente vestido, de mirada y ademanes inquietos, pero cínico y re-* 10 *suelto. Zeyer le pasa la mano por los hombros y lo conduce así hasta don Ricardo.*) Aquí tienes a nuestro hombre.

RAMÍREZ. Buenas noches, señor Torres Flores.

DON RICARDO. (*Le indica el sofá, pero no le da la mano.*) Hágame el favor de sentarse. 15

RAMÍREZ. No es necesario. Ya el señor Zeyer le habrá explicado de lo que se trata.[89]

DON RICARDO. Sí . . . Y aunque yo no tengo nada que ver en el asunto [90] . . .

RAMÍREZ. Mire, señor Torres Flores. No tiene caso perder el tiempo.[91] 20 Vamos a hablar con las cartas sobre la mesa. Usted es copropietario de los Laboratorios Zeyer. Los Laboratorios Zeyer están vendiendo ampolletas de suero antidiftérico ya vencido,[92] en cajas a las que han cambiado la fecha para hacerlo aparecer en vigor . . .[93]

ZEYER. (*Sorprendido.*) ¡Cómo! 25

DON RICARDO. (*Severo, a Zeyer.*) ¿Es verdad eso?

ZEYER. (*Se aparta, escandalizado.*) ¡Es una vil mentira! Usted no me había dicho eso . . .

RAMÍREZ. (*Mostrando triunfalmente la caja de una ampolleta que saca de la bolsa.*) Tengo las pruebas en la mano. Le cuesta cin- 30

---

[87] **lo . . . puso**   how nasty he became.
[88] **Si . . . remedio**   If there's no other way out.
[89] **de lo que se trata**   what it's all about.
[90] **yo . . . asunto**   I have nothing to do with the matter.
[91] **No . . . tiempo**   There is no point in wasting time.
[92] **ampolletas . . . vencido**   vials of out-dated antidiphtheria serum.
[93] **para . . . vigor**   to make it appear acceptable.

cuenta mil pesos que no aparezca mañana la noticia a ocho columnas [94] en todos los periódicos. Comprenderá usted que eso . . ., el mismo día del matrimonio de su hija . . . sería muy regocijado [95] . . . (*Hay una pausa desconcertante.*)

DON RICARDO. (*Demudado, cruza hasta Daniel, que lo mira con angustia.*) Dime la verdad. ¿Es cierto?

ZEYER. ¡De ninguna manera! [96] ¡Te lo juro, hermano!

DON RICARDO. (*Se vuelve a Ramírez. Habla pausadamente, con serenidad, pero la ira se advierte [97] en su voz enronquecida.*) Usted tiene un envase de suero con una fecha. Según usted, ¿qué es lo que prueba que el líquido que contenía es anterior a esa fecha?

RAMÍREZ. (*Sin inmutarse.*) [98] La muerte del niño a quien se le inyectó, ¿le parece a usted poco? El médico que lo atendió ha adquirido otras ampolletas en la misma botica y las ha mandado analizar.

DON RICARDO. (*Cada vez más alterado, cruza hacia la chimenea.*) Comprendo . . . Por lo visto,[99] el médico también tiene algo que ver en este . . . negocio . . .

RAMÍREZ. Naturalmente . . . El médico y los compañeros que tienen la misma fuente en los otros periódicos. En total somos diez. Ya verá usted que la cantidad que le pido no es nada exagerada, si se toman en cuenta las circunstancias . . .

MANUEL. (*Apareciendo sonriente por la biblioteca.*) Perdóneme, don Ricardo. He oído a pesar mío lo que están ustedes tratando.[100]

ZEYER. (*Se vuelve hacia él, sorprendido. Adopta un tono déspota y altanero.*) ¿Usted? ¿Qué es lo que hace usted aquí?

MANUEL. Vine a tratar un asunto [101] con don Ricardo.

ZEYER. No tiene usted nada que tratar con don Ricardo. ¿No sabe quién es el gerente de los laboratorios?

[94] **a ocho columnas**   across the first page.
[95] **sería muy regocijado**   would be very pleasing to your enemies.
[96] **¡De ninguna manera!**   Not at all!
[97] **la ira se advierte**   his anger is noticeable.
[98] **sin inmutarse**   *See note 132, Act I.*
[99] **Por lo visto**   Evidently.
[100] **a . . . tratando**   in spite of myself what you are talking about.
[101] **Vine . . . asunto**   I came to talk over a matter.

MANUEL. Mire, señor Zeyer: no es el momento de hacer sentir su autoridad . . .

ZEYER. ¡Señor Torres . . .!

DON RICARDO. Está bien, Daniel. Vamos a oír lo que tiene que decirnos el ingeniero.   5

MANUEL. Simplemente, que todos los sueros vencidos [102] que se devuelven a los laboratorios los destruyo yo en presencia del inspector de Salubridad, y eso consta en actas firmadas por el mismo inspector, que deben estar archivadas en las oficinas del señor Zeyer.

ZEYER. (*Aparentemente satisfecho de la solución en que no había* 10 *pensado.*) ¡Es verdad! Yo tengo todas esas actas, por orden riguroso de fechas.[103]

RAMÍREZ. (*Sentándose en el brazo del sillón de la derecha.*) Y yo tengo las pruebas de que, a pesar de todo, en las farmacias se venden, con fechas alteradas, sueros vencidos con la marca de los 15 Laboratorios Zeyer.

DON RICARDO. Entonces es cuestión de abrir una averiguación para esclarecer de dónde proceden esos sueros . . . Puede tratarse de una falsificación . . . Alguna persona extraña a los laboratorios puede muy bien . . .   20

RAMÍREZ. (*Con malicia y cinismo.*) Eso me parece muy acertado. Solo que no sería posible hacer ninguna aclaración hasta después de algunos días de que apareciera la noticia . . . Y ya saben ustedes que las aclaraciones nunca son eficaces . . .

MANUEL. En realidad, don Ricardo, lo único recto que corresponde 25 hacer es que los mismos laboratorios se adelanten a presentar hoy mismo la denuncia en contra de quien resulte responsable. (*Tanto Ramírez como Zeyer* [104] *se alarman. Éste protesta con violencia.*)

ZEYER. ¡No, no! ¡De ningún modo! De lo que se trata es de evitar a toda costa el escándalo . . . No le conviene a don Ricardo . . . 30 Y eso traería de todos modos el escándalo . . .

MANUEL. (*Cruzando hacia Ramírez.*) En ese caso . . . se podrían

---

[102] **sueros vencidos**   *See note 92.*
[103] **por . . . fechas**   strictly according to dates.
[104] **Tanto Ramírez como Zeyer**   Both Ramírez and Zeyer.

mostrar esta misma noche a los directores de los periódicos las actas
de la destrucción de los sueros vencidos, tal vez ellos accederían a
no publicar ninguna noticia hasta no conocer el resultado de la
investigación.[105]

RAMÍREZ. (*Se levanta desconcertado y titubea por un momento, pero*   5
en seguida se repone y se vuelve aún más cínico.) Es difícil . . .
No creo que . . . encuentren a los directores a esta hora . . . Y
por otra parte . . ., ningún director que se respete va a dejar ir
una buena noticia como ésta. O a lo mejor,[106] les resulta a ustedes
mucho más caro.   10

DON RICARDO. De manera que no queda más remedio que pagar [107] . . .

RAMÍREZ. Esta misma noche . . . y en efectivo.

DON RICARDO. Muy bien . . . Pero . . . ¿Qué seguridad tenemos
nosotros de que la noticia no se va a publicar después de que le en-
treguemos el dinero?   15

RAMÍREZ. En un caso así, no les queda más remedio que confiar en
mi palabra.

DON RICARDO. Es decir . . ., que nosotros, que, en realidad, no lo
conocemos, estamos obligados a fiar en su palabra . . . Y usted,
que sabe perfectamente quiénes somos, no puede confiar en la   20
nuestra . . .

RAMÍREZ. ¿Qué quiere usted decir?

DON RICARDO. Que nadie tiene cincuenta mil pesos en efectivo en su
casa, ni le es fácil conseguirlos a estas horas en ninguna parte. Yo
le doy mi palabra de honor de entregarle esa cantidad mañana   25
mismo, a las once de la mañana, en mi despacho del Banco Hispano-Americano. Si usted no puede esperar, nosotros vamos a
sufrir ciertamente un grave descrédito, pero usted va a perder cincuenta mil pesos . . .

RAMÍREZ. (*Disimulando su decepción.*) ¿Me los entregará usted . . .   30
sin averiguaciones de ninguna especie?

DON RICARDO. Le he dado mi palabra.

---

[105] **tal . . . investigación** perhaps they would agree not to publish any news
until they find out the results of the inquiry.
[106] **a lo mejor** perhaps.
[107] **no . . . pagar** there is no other alternative but to pay.

RAMÍREZ. (*Tranquilizado.*) Estaré a las once en su despacho.

DON RICARDO. Hasta mañana, entonces.

RAMÍREZ. Buenas noches, señores.

ZEYER. Buenas noches.

MANUEL. (*Al mismo tiempo.*) Buenas noches. (*Ramírez hace mutis* 5 *por el vestíbulo. Zeyer va hasta la puerta. Cuando se cerciora de que el periodista se ha ido, cruza rápidamente hacia Don Ricardo. Manuel se aparta a la derecha.*)

ZEYER. Estuviste estupendo, hermano. Cuando menos,[108] ganamos tiempo y hay que aprovecharlo. Mañana, cuando se presente el 10 periodista . . .

DON RICARDO. Ése no es periodista ni cosa que se le parezca.[109] ¿No viste cómo se turbó cuando hablamos de ver a los directores?

ZEYER. A mí me enseñó una credencial de no sé dónde. Estaba yo demasiado aturdido para fijarme. 15

MANUEL. Si usted me lo permite, don Ricardo, yo puedo ir a indagar, con discreción, si hay algún periódico donde trabaje.

DON RICARDO. Me parece muy bien.

ZEYER. Pero diste tu palabra de no hacer averiguaciones, hermano.

MANUEL. Yo no di ninguna palabra. Y yo soy el que las va a hacer. 20 ¿Cuál es su nombre?

ZEYER. No sé . . . , Ramírez . . . Creo que . . . Javier Ramírez . . .

MANUEL. Perfectamente.

DON RICARDO. (*A Zeyer.*) De todas maneras, por las dudas,[110] 25 llévame antes de las once todo el dinero que puedas reunir. Por mi parte, yo voy a ver lo que consigo. No vaya a dar la de malas [111] . . .

ZEYER. (*Disponiéndose a marcharse, da la mano a don Ricardo.*) Descuida, haré todo lo que pueda.

DON RICARDO. ¡Ah! Y quiero una averiguación minuciosa sobre eso 30 de las vacunas vencidas. Si es verdad, tenemos que encontrar al responsable.

---

[108] **Cuando menos**   At least.
[109] **ni . . . parezca**   or anything of the sort.
[110] **De . . . dudas**   Anyway, just in case.
[111] **No . . . malas**   Just in case we have to pay.

ZEYER. ¡Naturalmente, viejo! Yo me encargo. Buenas noches. (*Hace mutis rápidamente por el vestíbulo.*)

MANUEL. (*Saliendo al encuentro de don Ricardo en el centro de la escena.*) Bueno, don Ricardo, me voy a los periódicos . . .

DON RICARDO. Muchas gracias.   5

MANUEL. (*Dándole la mano.*) Y no se preocupe. Estoy seguro de que todo saldrá bien.

DON RICARDO. Gracias. (*Manuel hace mutis por el vestíbulo. Don Ricardo, cavilando, camina hacia la puerta de la biblioteca, donde se detiene un momento. Luego va despacio hacia el comedor. Se* 10 *detiene detrás del sofá, porque ve bajar a Jorge, cambiado de traje y más acicalado y reluciente que antes.*) ¡Hombre! Qué bueno que estás aquí todavía. Tengo que hablarte.

JORGE. (*Cruzando hacia el vestíbulo, impaciente.*) Me voy volando, papá. Tengo el tiempo justo.[112]   15

DON RICARDO. Esto es más importante. Hazme el favor de escucharme.

JORGE. (*Se detiene de mala gana.*) [113] Dime lo que sea, pero rápido, por favor, papá. Tengo que irme.

DON RICARDO. (*Enérgico.*) Por principio de cuentas,[114] me vas a 20 hablar en otro tono, y en seguida, vas a oír lo que tengo que decirte.

JORGE. (*Fastidiado, se deja caer* [115] *en la silla, a la derecha del piano.*) Está bien. Dime.

DON RICARDO. Acaban de venir a hacerme un chantaje.[116] Me amenazan con un escándalo de prensa si para mañana a las once no he 25 entregado cincuenta mil pesos. Como debes suponer, no tengo dinero en este momento . . . (*Jorge lo mira, aterrado.*) En cambio, me imagino que los doscientos mil pesos de tu compañía estarán intactos, puesto que todavía no inicias ninguna actividad en firme.[117]   30

---

[112] **Me . . . justo** I'm in a big hurry, father. I've got just enough time.
[113] **de mala gana** reluctantly.
[114] **Por principio de cuentas** In the first place.
[115] **se deja caer** he drops.
[116] **Acaban . . . chantaje** Someone has just been here to blackmail me.
[117] **en firme** for sure.

JORGE. (*Levantándose.*) Estás completamente equivocado, papá . . .

DON RICARDO. ¿Cómo completamente equivocado, si no tienes siquiera el argumento que vas a filmar?

JORGE. Pero se han hecho muchas otras inversiones . . . La instalación de las oficinas . . .

DON RICARDO. Quince mil pesos a lo sumo [118] . . .

JORGE. Ha habido que asegurar algunos artistas con anticipos [119] . . .

DON RICARDO. ¿Artistas? ¿Para qué, si no sabes si van a tener papel [120] o no en la película?

JORGE. (*Acorralado.*) Siempre es bueno contar con algunos nombres . . .

DON RICARDO. (*Presionándolo.*) ¿Para qué?

JORGE. (*Violento.*) ¡Para prestigio de la compañía, papá . . .! Además . . . la publicidad . . .

DON RICARDO. ¿Cuál publicidad? Yo no he visto ninguna publicidad.

JORGE. ¡Es que tú no entiendes de estas cosas! Tú crees que publicidad son nada más los anuncios en los periódicos . . . Pero la verdadera publicidad son muchas otras cosas . . . Exhibir a las estrellas en los centros públicos . . . Los obsequios . . ., las fiestas . . . Las invitaciones a los cronistas . . . Las reuniones con la gente del gremio . . . Todo eso se capitaliza más tarde . . .

DON RICARDO. (*Comprendiendo que es un caso perdido, va hacia él, furioso. En este momento, atraída por las voces, aparece Carmela por el comedor y contempla la escena. Don Ricardo está de espaldas a ella.*) En resumen, que no tienes un centavo. Que en seis meses has gastado doscientos mil pesos en exhibir a las estrellas y en invitar a los cronistas . . .

JORGE. (*Se vuelve a él, implorante.*) Todos los negocios tienen un principio . . . Si tú no me ayudas a seguir adelante . . .

DON RICARDO. ¡Ah! ¿De manera que encima pretendes que te dé más dinero para seguir adelante con tu vida de exhibicionismo y de juergas? ¿No sabes que lo que has gastado ni siquiera es todo

[118] **a lo sumo** at the most.
[119] **Ha . . . anticipos** I've had to pay advances to tie up certain actors.
[120] **tener papel** to have a part.

mío? ¿Que hay que rendir cuentas [121] a las personas que invirtieron su dinero?

JORGE. Yo estoy dispuesto a rendirlas.

DON RICARDO. ¡Sí, claro! Y ellas se van a quedar muy conformes con que les enseñes las cuentas de los «cabarets» y de los hoteles de 5 Acapulco . . . Y ni aun así es creíble un gasto semejante. Yo voy a poner en claro [122] adónde se ha ido todo ese dinero.

JORGE. (*Enconchándose en un cinismo desdeñoso.*) Si no quieres entender . . .

DON RICARDO. ¡No! Lo único que entiendo de todo esto es que hice 10 mal en fiarme de ti, porque no tienes cabeza ni seriedad. Eres un completo irresponsable. (*Se vuelve y camina a grandes pasos de un lado a otro. Ve a Carmela, pero sin hacer caso de ella, continúa desahogándose.*) Ahora me voy a ver obligado a recurrir a no sé qué . . ., a hipotecar esta casa, a vender los laboratorios . . ., 15 no solamente para salir de mi compromiso, sino para responder a las personas honorables que por deferencia a mí te confiaron su dinero . . . ¡Y todavía tienes el cinismo y la pretensión de pedirme que te ayude a seguir adelante! (*Dice esto último con una risa amarga. Se detiene a mitad de la escena y muestra su hijo* 20 *a Carmela.*) ¡Ahí lo tienes! ¡Míralo bien! Sin la careta del niño bien, elegante y distinguido, que gasta a manos llenas [123] el dinero de los demás, y te darás cuenta de que no es más que un retrasado mental [124] . . ., un cretino . . .

CARMELA. (*Se ha transfigurado. Está rígida, erguida, terrible. Grita* 25 *en un tono que no deja lugar a réplica.*) ¡Ricardo! ¡Basta ya! [125] (*Don Ricardo se queda inmóvil, a pesar suyo, ante lo contundente de la orden.*) Jorge, vete a la calle.[126] Yo voy a hablar con tu padre. (*Jorge ni siquiera replica. Se escurre hacia el vestíbulo, cohibido y humillado, mirando a uno y a otra.*) 30

---

[121] **rendir cuentas**   to render accounts
[122] **poner en claro**   find out.
[123] **a manos llenas**   lavishly.
[124] **retrasado mental**   mentally retarded person.
[125] **¡Basta ya!**   That's enough!
[126] **vete a la calle**   go outside.

DON RICARDO. (*Bajando hacia la derecha, en tono resentido.*) No me parece bien que menoscabes mi autoridad en esa forma . . .

CARMELA. (*Bajando por la izquierda del sofá.*) Te interrumpí en el momento en que ibas a echar en cara a Jorge el color de su piel.[127]

DON RICARDO. (*Mirándola, asombrado, pero todavía iracundo.*)   5
¡Si! ¡Precisamente! Por desgracia, a juzgar por mi propio hijo, me veo obligado a reconocer que algo tiene eso que ver con el desarrollo mental y moral de la gente.

CARMELA. (*Se yergue con violencia.*[128] *Durante su parlamento va acercándose lentamente, por impulsos, a don Ricardo.*) ¡No es   10
verdad! Durante muchos años he venido disimulando,[129] ignorando, tolerando tus quejas y tus ofensas más o menos veladas. Pero he decidido poner término a eso de una vez por todas.[130] Lo que Jorge hace lo hubiera hecho cualquier joven de su edad, no importa de qué raza o de qué color. Ningún muchacho de vein-   15
ticuatro años se hubiera privado,[131] a menos de ser, él, sí, un anormal, de las diversiones, de los placeres que se han puesto a su alcance. Pero Jorge tiene todavía una justificación más: el complejo de inferioridad que *tú* le has fomentado. Hablas de mandar a Héctor a los Estados Unidos para que se libre del complejo de   20
inferioridad de los mexicanos; pero a los otros, tú mismo te has encargado de formárselo a cada instante, con cada palabra, sin perder una sola ocasión de menospreciarlos. (*Vuelve hacia la izquierda.*) ¿Por qué te extraña entonces que Jorge trate de probarse a sí mismo y a los demás que no es el ser inferior que lo han   25
hecho sentirse? (*Volviéndose hacia don Ricardo.*) ¿Que es tan importante y tan digno de estimación como cualquier otro? ¿Que puede acometer cualquier empresa?

DON RICARDO. Pero el caso es que . . . los hechos demuestran que no puede . . .   30

---

[127] **en . . . piel**   you were going to bring up again the question of the color of his skin.
[128] **Se yergue con violencia**   She gets up quickly.
[129] **he venido disimulando**   I have been overlooking.
[130] **poner . . . todas**   to put an end to that once and for all.
[131] **se hubiera privado**   would have deprived himself.

CARMELA. ¡Claro! ¡Naturalmente! Le falta experiencia . . . Lo han ofuscado las mujeres, porque también ha querido demonstrarse que está en condiciones de escoger a la que le guste, igual una rubia que una morena. Tú mismo . . ., ¿no te has aferrado a la circunstancia de tener un hijo güero para probarte que eres superior, 5 que no te perteneces a la raza que en el fondo [132] desprecias, pero a la que también, muy en el fondo, sabes que perteneces?

DON RICARDO. Para eso no necesito a Héctor. (*Señala el cuadro de la chimenea.*) Allí tienes a mi padre.

CARMELA. (*Mirando el cuadro instintivamente.*) Es un retrato al 10 óleo. Anoche, Héctor te explicó cómo a veces los pintores tratan de dar gusto a sus clientes. En lugar de recrearte en ese retrato de tu padre, deberías fijarte bien en tu propia piel. Un poco más clara que la mía, es cierto, pero nada más un poco. (*Don Ricardo sufre el impacto de la frase y se muerde los labios para contener un* 15 *impulso desmesurado. Carmela avanza hacia el centro del proscenio. Al mismo tiempo, aparece Héctor por la escalera de las habitaciones y va a bajar del mezanín, pero se queda suspenso al oír las palabras de Carmela. Ni ésta ni Don Ricardo lo advierten.*) Anoche también le hablaste a Héctor de la posibilidad de que 20 exista un hijo tuyo que no conoces. Eso te parece la cosa más natural del mundo. Pero . . . ¿nunca se te ha ocurrido pensar en la posibilidad de que Héctor no fuera tu hijo?

DON RICARDO. (*Después de un segundo de sorpresa, no queriendo creer lo que ha oído.*) ¿Qué estás diciendo? 25

CARMELA. Que si nunca se te ha ocurrido pensar en la posibilidad de que Héctor no fuera hijo tuyo. (*Héctor, herido en lo más profundo, se recoge dentro de sí mismo y se va lentamente por la escalera.*)

DON RICARDO. (*Rechazando la idea con terror.*) ¡No, no! Quién 30 sabe qué monstruosidad estás maquinando [133] . . ., por venganza porque te sientes ofendida . . . (*Como Carmela se calla, va vio-*

---

[132] **en el fondo**   deep inside.
[133] **qué . . . maquinando**   what monstrosity you are thinking of.

lentamente hasta ella y tomándola con firmeza por los brazos, la
hace volverse hacia él.) ¡Dime que eso no es cierto! [134] ¡Dímelo!
CARMELA. (*Muy naturalmente.*) No he dicho que sea cierto. Te
pregunté solamente si no has pensado en esa posibilidad.
DON RICARDO. ¡No! (*Se aparta a la derecha, fuera de sí.*) [135] ¿Por qué 5
había de pensar en semejante tontería? (*Volviéndose hacia ella.*)
No entiendo muy bien lo que te propones, pero de cualquier modo
me parece que es indigno de ti lo que haces.
CARMELA. (*Apartándose hacia la izquierda.*) ¿Por qué? Yo hubiera
encontrado más lógico que siendo morenos tú y yo, te extrañara 10
alguna vez tener un hijo rubio.
DON RICARDO. (*Yéndose al fondo, hacia el centro.*) ¡Ya te he dicho
mil veces que entre mis antepasados los ha habido rubios y de
ojos claros!
CARMELA. (*Sentándose en el sillón de la izquierda.*) Y luego . . . 15
¿tampoco has pensado nunca de lo que puede ser capaz una mujer
a la que durante tanto tiempo se ha humillado en lo más íntimo
de su ser? [136] . . . ¿En su sangre? . . . ¿En sus propios hijos? . . .
¿No piensas que también una mujer puede sentir el deseo de
demostrarse a sí misma que no es un ser inferior, que no es des- 20
preciable para ningún hombre y que está en. aptitud de traer hijos
rubios al mundo? [137]
DON RICARDO. (*Bajando por la derecha del sofá.*) ¡Cállate ya! ¡Me
horroriza oírte hablar así! Lo que no imaginé jamás es que fueras
capaz de abrigar siquiera esos pensamientos. (*Se aparta a la* 25
derecha.)
CARMELA. Nunca los había tenido. ¿Sabes cuándo fue la primera
y única vez que pensé en eso? (*Don Ricardo se vuelve hacia ella,*
expectante.) Cuando eras todavía cajero del banco y te mandaron
a los Estados Unidos a llevar aquellas barras de oro. Fui contigo 30
a la estación y nos acompañó Daniel. ¿Te acuerdas?

[134] **¡Dime . . . cierto!** Tell me it's not true!
[135] **fuera de sí** beside himself.
[136] **en . . . ser** in the very depths of her being.
[137] **está . . . mundo** is capable of bringing blond children into the world.

DON RICARDO. (*Ansioso.*) Sí. ¿Y luego?

CARMELA. Ya habían nacido Jorge y Beatriz, y ya había yo sufrido en silencio tu decepción. En el coche, no hiciste más que hablar de las güeras . . . De cómo te ibas a «desquitar» en Nueva York . . . Todo era una broma, por supuesto . . .

DON RICARDO. Claro . . . , de otro modo no lo hubiera dicho delante de ti.

CARMELA. Sí . . . Es el viejo procedimiento de engañar con la verdad . . . Porque yo vi cuando Daniel te llevó aparte en el andén y te apuntó una dirección en una tarjeta [138] . . . ¡Con qué malicia se rieron los dos! . . . Aquella risa se me clavó como un cuchillo en el vientre [139] y la sangre que me subió a la cabeza me oscureció la vista. En aquel momento me sentí capaz de cualquier cosa.

DON RICARDO. (*Cada vez más ansioso.*) Bueno . . . , sí . . . ¿Y qué pasó después?

CARMELA. (*Se levanta y sube por la izquierda del sofá.*) Nada . . . El tren se fue . . . Daniel me llevó a la casa . . . y lo olvidé todo hasta que tu confesión de anoche vino a revolver dentro de mí no sé cuántos recuerdos . . . , quién sabe qué sentimientos dormidos . . .

DON RICARDO. (*Sube por la derecha del sofá hasta enfrentarse con Carmela. Vuelve a tomarla violentamente por los brazos.*) ¡Carmela! ¿Es eso una confesión? ¿Fuiste capaz de traicionarme? ¿Quieres insinuar que Zeyer? . . . ¡Exijo que me digas la verdad!

CARMELA. (*También con violencia, librándose de las manos de don Ricardo.*) ¡No! ¡No es una confesión! (*Ya libre, más calmada.*) Y no fui capaz . . . Te estoy explicando simplemente a lo que me orillaste.[140] . . . Lo que pudo haber sido . . . (*Súbitamente, con aire desafiante.*) ¡Supón que hubiera sucedido! En nada cambiaría las cosas. ¿Qué podrías hacer?

DON RICARDO. (*Con un ademán hacia la biblioteca.*) ¡Iría ahora mismo a matar a Zeyer!

[138] **apuntó . . . tarjeta** jotted down an address on a card.
[139] **Aquella . . . vientre** That laughter hurt me like a knife in my heart.
[140] **a lo que me orillaste** what you almost made me do.

CARMELA. (*Riendo.*) ¡Pobre Daniel!

DON RICARDO. (*Se aparta a la derecha, torturado y frenético*) ¡No, no! ¡Si no es posible! [141] Te has propuesto torturarme y has buscado todo lo que más profundamente podía herirme. Has pensado en Daniel, porque sabes que nadie en el mundo me debe tanta 5 gratitud como él. Que lo saqué de la nada . . . Que le proporcioné la manera de ganar sus primeros pesos, cuando él no era más que un trampa y yo un pobre empleado, facilitándole diariamente dinero de la caja, sin más garantía que su palabra, para que hiciera operaciones de cambio con los otros bancos. Pude haber 10 ido a la cárcel por eso . . . Y luego . . . ¡No, no! ¡Hubiera sido la más horrible de las infamias! ¡La muerte sería poco para castigarlo! (*Se sienta abatido en la silla de la izquierda de la mesa.*)

CARMELA. (*Bajando por la izquierda del sofá.*) Podías pensar también en matarme a mí. Pero la verdad es que no estamos en edad 15 de tragedias pasionales. Y, además . . . , la muerte no me haría sufrir más de lo que he sufrido todos estos años.

DON RICARDO. Y quieres hacerme sufrir a mí ahora, haciéndome dudar . . . Porque nunca llegaré a saber si lo que has dejado entrever [142] es cierto . . . Obligándome a que sospeche de Héc- 20 tor, porque supones que es el hijo que más he querido . . . Eso es perverso, Carmela . . . No sé si sería preferible que todo fuera verdad, porque así al menos podría vengarme.

CARMELA. No podrías hacerlo aunque fuera verdad. ¿Serías capaz de destruir el matrimonio de Beatriz, el porvenir de Jorge, la carrera 25 de Héctor, tan solo por satisfacer un sentimiento de amor propio? [143] Por ellos, por tus hijos, te he dicho lo que te he dicho. Pero no por uno. Por todos. Porque todos son nuestros hijos y nos debemos a ellos, [144] que empiezan su vida. La nuestra ya está hecha y terminada. Ya no nos pertenecemos a nosotros mismos. 30

ALICIA. (*Aparece por el comedor con el teléfono en las manos y llega hasta el centro de la escena.*) Habla el cronista de sociedad

---

[141] **¡Si no es posible!** *Don't translate* si.
[142] **lo que has dejado entrever** what you have suggested.
[143] **un . . . propio** a feeling of pride.
[144] **nos debemos a ellos** we have an obligation to them.

de *Excélsior*.[145] Quiere que le den unos datos sobre el matrimonio de la señorita Beatriz. (*Don Ricardo reacciona tardíamente y se levanta con rapidez, como si hubiera sido sorprendido en un sueño involuntario. Mira a Alicia y a Carmela, indeciso, sin replicar.*)

CARMELA. Contesta.   5

DON RICARDO. Sí, sí. Ponlo ahí. (*Alicia enchufa el cordón en el muro, debajo del espejo, y coloca el teléfono sobre la mesa. Luego se va por el comedor.*)

DON RICARDO. (*Toma la bocina[146] maquinalmente y habla con voz apagada, cansada. Se diría que ha envejecido repentinamente.*)   10
¿Sí? . . . Para servirle . . . Sí . . ., mañana, a las ocho . . ., aquí, en la casa . . . El juez Ibáñez . . ., Joaquín Ibáñez . . . Mañana le tendré una lista completa de los invitados . . . (*Empieza a bajar lentamente el telón.*) Sí, una cena . . . Los testigos son don Antonio Mariscal . . ., don Fernando Godoy . . . El   15
doctor Farías . . ., sí, don Ignacio . . ., don Pedro Rodríguez del Villar . . . (*Carmela atiende inmóvil hasta que acaba de caer el*

TELÓN

[145] **cronista . . . Excélsior** the society reporter from the *Excélsior* (*Mexican daily newspaper*).
[146] **Toma la bocina** He picks up the receiver.

Acto Tercero

CUADRO PRIMERO

ESCENA: *La misma del acto anterior, el día siguiente, a las siete de la noche. Todas las luces están encendidas y el salón se encuentra profusamente adornado con flores blancas. Al levantarse el telón, Alicia, uniformada de gala,[1] está frente al piano recibiendo un ramo de rosas blancas que le pasa Carmela. Ésta está vestida de «soirée», lista para la ceremonia.*

CARMELA. Toma. Ponlas en el florero de la mesita.

ALICIA. Sí, señora. (*Va a colocar las rosas como le indicaron.*)

CARMELA. (*Arreglando ella misma un ramo de gladiolas en un jarrón, sobre el piano.*) En cuanto lleguen las primeras visitas, les ofreces tú los cócteles en una charola pequeña. Ya cuando sean ⁵ más de doce o quince, que les sirva el mesero. Y tú ofreces los canapés cada diez minutos. ¿Entiendes? (*Suena el teléfono, que está sobre la mesa de la derecha. Alicia va a contestar . . . Carmela se vuelve y escucha.*)

ALICIA. (*Al teléfono.*) ¿Bueno? . . . Sí, la casa del señor Torres ¹⁰ Flores . . . ¿De parte de quién?[2] . . . Muy bien, señora . . . Yo pasaré el recado. (*Cuelga y se vuelve a Carmela.*) De parte de la señora Rivero, que sienten mucho no poder venir porque tienen un cuidado de familia[3] pero que le desean muchas felicidades a la señorita Beatriz. ¹⁵

CARMELA. (*Al tiempo que aparece don Ricardo, de frac,[4] por la*

---

[1] **uniformada de gala** in a formal uniform.
[2] **¿De parte de quién?** Who is calling?
[3] **tienen . . . familia** they have a problem at home.
[4] **de frac** in tails.

73

escalera de las habitaciones, y baja hasta el salón.) ¡Qué raro . . .
Van cuatro familias que se excusan en un momento! [5] . . .

DON RICARDO. ¿Cómo está eso? ¿Quién se ha excusado?

CARMELA. Los Amieva . . . Los Sánchez Olvera . . . Los Solórzano y los Rivero . . . Está bien, Alicia. (*Alicia hace mutis por* 5
el comedor.)

DON RICARDO. (*Cruza, preocupado, hacia la mesa de la derecha.*)
No comprendo . . . No creo que haya ninguna razón espe-
cial . . .

CARMELA. (*Yendo a componer el ramo que colocó Alicia.*) Todas 10
son amistades de la familia de Carlos. Tal vez no les parecemos
bastante distinguidos para alternar con nosotros . . .

DON RICARDO. No lo creo. Es verdad que no tenemos ningún título
de nobleza . . . Pero ellos tampoco. Y nosotros no somos nin-
gunos advenedizos indeseables con quien no se pueda cumplir por 15
una vez un compromiso social.[6] (*Suena el timbre del teléfono.*
Reaccionando con cierta nerviosidad y descolgando el audífono.)
¿Bueno? . . . ¿Sí? . . . ¡Ah, don Alfonso! . . . Mucho gusto
. . . Sí, aquí Torres Flores . . . ¿Cómo? . . . Bueno, pero
podrían venir aunque fuera un momento . . . Nada más a la cere- 20
monia . . . Se lo agradezco mucho . . . Mis respetos a la señora . . . Hasta luego . . . (*Colgando el audífono.*) Estas son
amistades nuestras.

CARMELA. (*Que ha estado expectante.*) [7] ¿Los Quintero?

DON RICARDO. Sí . . . Que salen de viaje en el avión de las siete y 25
que tienen que arreglar sus maletas esta noche . . . (*Se oye sonar*
el timbre de la puerta.) Ahí están los primeros. (*Subiendo hacia*
el piano, más animado. Alicia atraviesa del comedor al vestíbulo.)
Después de todo, estamos dando a esas excusas una importancia
que no tienen. Es natural que cuando tratas de reunir a un grupo 30
numeroso, muchas personas tengan dificultades y compromisos
anteriores . . .

[5] **Van . . . momento** In just a short while, four families have said they can't
come.
[6] **cumplir . . . social** to honor for just once a social obligation.
[7] **Que ha estado expectante** Who has been waiting anxiously.

ZEYER. (*Apareciendo de frac, por el vestíbulo. Alicia cruza hacia el comedor y hace mutis.*) ¡Mi hermano! ¡Felicidades! Quise ser el primero en venir a darte un abrazo.

DON RICARDO. (*Rehuyendo el abrazo, en tono frío.*) Muchas gracias . . . 5

ZEYER. (*Desconcertado.*) ¿Qué pasa, mi viejo? ¿Estás disgustado?

DON RICARDO. No, nada. Estas cosas que siempre están llenas de pequeños problemas.

ZEYER. (*Dándole una palmada.*) [8] No hay que hacer caso de los pequeños problemas. Siempre se resuelven solos. (*Cruzando a* 10 *saludar a Carmela, con igual efusividad. Le estrecha la mano con las dos suyas. Don Ricardo los mira con desconfianza.*) Señora . . . Ya sabe todo lo que le deseo para Beatriz.

CARMELA. Muchas gracias, Daniel. (*Suena el timbre del teléfono. Carmela cruza para contestar. Don Ricardo baja hasta el respaldo* 15 *del sillón de la derecha.*) ¿Bueno? . . . La casa del señor Torres Flores . . . Sí, habla la señora . . . ¿Cómo está, señor Borbolla? . . . ¿Quiere usted hablar con Ricardo? . . . (*Reacción de don Ricardo.*) Yo se lo diré . . . Créame usted que lo sentimos mucho . . . Muchísimas gracias . . . El gusto es mío, señor 20 Borbolla. (*Cuelga.*)

DON RICARDO. ¿Tampoco puede venir?

CARMELA. No. Le ha empezado un ataque de gripe.

DON RICARDO. (*Francamente alarmado.*) Pues esto sí ya es sospechoso. El presidente del Banco . . . 25

ZEYER. (*Solícito.*) ¿Pasa algo malo, mi hermano?

DON RICARDO. Que todo el mundo se está excusando . . . No me lo explico . . . ¿Sería posible que se haya publicado algo sobre ese asunto del suero?

ZEYER. Ni una palabra. Yo mismo revisé todos los periódicos. 30

DON RICARDO. ¿Entonces? . . .

ZEYER. Supongo que no volviste a saber nada del famoso periodista . . .

DON RICARDO. Absolutamente nada. Estuve esperándole hasta las

---

[8] **Dándole una palmada** Giving him a slap on the back.

cinco de la tarde con el dinero dispuesto. En realidad, desde anoche que me informó por teléfono el ingeniero Torres que no lo conocían en ningún periódico, yo sabía que no se presentaría.

ZEYER. No . . . . El golpe de él estaba en sacarnos el dinero ayer mismo.[9] De lo contrario, estaba perdido. 5

DON RICARDO. Sin embargo . . . Algo raro debe estar pasando . . .

JORGE. (*Llega precipitadamente por el vestíbulo, vestido de calle. Observa la escena y baja a besar a su madre. Se le nota alterado.*) Buenas noches.

ZEYER. Buenas noches. 10

CARMELA. Pero ¿todavía no te has vestido, hijo? Dentro de un rato empezarán a llegar los invitados. (*Sin decir palabra, Jorge va hacia su padre y le tiende un periódico doblado que extrae de la bolsa del saco.*)

DON RICARDO. (*Desdobla el periódico con nerviosidad y reacciona* 15 *desagradablemente.*) Aquí está. En los periódicos de la tarde. ¡Y a ocho columnas! (*Leyendo.*) «Horrendo crimen de unos laboratorios.» (*Estruja el periódico y lo deja en manos de Zeyer, que se ha precipitado al lado de don Ricardo.*) ¡Malditos! . . . Léelo tú . . . Yo no puedo . . . (*Se aparta con paso vacilante hacia la* 20 *derecha y se deja caer, abatido, en la silla*[10] *de la derecha de la mesa. Zeyer empieza a leer ávidamente para sí.*)

CARMELA. (*Yendo hasta Jorge, en voz baja.*) Vete a vestir, hijo.

JORGE. Sí, mamá. (*Se va despacio, con aire humillado, por la escalera. Carmela permanece en su lugar, a la expectativa, en actitud* 25 *estoica.*)

ZEYER. Te mencionan a ti . . . como el principal proprietario de los laboratorios . . . Y a mí . . . Fue el médico que atendió al chamaco el que presentó la denuncia hoy en la mañana . . . Dijo que un enviado nuestro[11] que se decía periodista le ofreció dinero 30 porque guardara silencio . . .

DON RICARDO. (*Se levanta y cruza hacia la izquierda.*) ¡El muy

---

[9] **El . . . mismo** His hope was to get the money from us yesterday.
[10] **se . . . silla** he slumps, overcome with emotion, into a chair.
[11] **un enviado nuestro** our representative.

bribón![12] Había combinado maravillosamente su negocio . . . Con el dinero que pensaba sacarme, iba a comprar al médico y así nadie se enteraría de nada . . . (*Volviéndose desde la chimenea.*) Debimos haberle hecho caso al ingeniero y adelantarnos a presentar la denuncia por falsificación [13] . . .

ZEYER. Pero tú no querías que se hiciera ningún escándalo . . .

DON RICARDO. No sé . . . Debimos haberle dado el dinero a ese bandido . . . No sé lo que debíamos haber hecho . . .

ZEYER. Todavía debe estar el subgerente en la oficina. Voy a llamarle para ver si sabe algo. (*Va a sentarse a la silla izquierda de la mesa y marca un número en el teléfono.*) ¿Quién habla? . . . ¿Es usted, Domínguez? . . . ¿Sabe usted algo de ese asunto que traen los periódicos de la tarde? . . . ¿Cómo? . . . ¿En este momento? . . . Bueno. Dígales que esperen . . . Voy para allá en seguida . . . (*Se levanta, demudado. En este momento aparece Alicia por el comedor trayendo una charola con cuatro o cinco «martinis». Ofrece a Carmela, luego a Zeyer y, finalmente, a don Ricardo. Todos rehúsan con un «No, gracias.» Durante su recorrido por el salón,[14] presta mucha atención a lo que se dice y todavía antes de hacer mutis por el comedor, se detiene un momento a escuchar. Casi en seguida reaparece y sube rápidamente por la escalera de las habitaciones.*) Han hecho ya la consignación.[15] En este momento están en la oficina dos agentes de la Procuraduría.[16] Yo creo que todavía es tiempo de que presentemos nosotros una acusación en contra de quien resulte responsable de haber cambiado las fechas en los envases. Que se haga la investigación . . .

DON RICARDO. ¿Y si hay orden de aprehensión contra ti? ¿O contra mí, puesto que me mencionan en la denuncia?

ZEYER. No lo creo. Pero si fuera así, no habrá más remedio que

[12] **¡El muy bribón!** The big crook!
[13] **Debimos . . . falsificación** We should have listened to the engineer and called the accusation false.
[14] **Durante . . . salón** While she is crossing the living room.
[15] **Han . . . consignación** The records have already been handed over.
[16] **Procuraduría** District Attorney's Office.

cargar la culpa sobre el químico [17] de la compañía . . . Para eso es el responsable.

DON RICARDO. Pero . . . las actas en que consta la destrucción de los sueros vencidos ¿no prueban su inocencia?

ZEYER. (*Con mucha malicia.*) Sí . . . Nada más que ésas las tengo 5 yo [18] y las voy a usar en la forma que más me convenga.

CARMELA. (*Protestando.*) Sería una injusticia . . .

ZEYER. Señora . . . Mientras las cosas no se aclaren, lo que importa es que no vayamos a la cárcel ni Ricardo ni yo. (*Da una palmada a don Ricardo.*) Ya te avisaré cómo van las cosas. 10 (*Cruzando hacia Carmela.*) Con su permiso. (*Hace mutis por el vestíbulo. Carmela, desolada, camina hacia la derecha y se sienta en la silla de la izquierda. Don Ricardo se deja caer, abatido, en el sillón de la izquierda.*)

CARMELA. ¿Qué piensas hacer de todo esto? 15

DON RICARDO. No sé . . . No tengo la menor idea . . . No puedo pensar.

CARMELA. Habrá que darle una explicación a Carlos . . .

DON RICARDO. Y a su familia . . . Lo que resulta todavía más penoso . . . (*De pronto se oyen pasos precipitados que bajan* 20 *atropelladamente la escalera y gritos en confusión de Héctor y Alicia, quienes aparecen por el mezanín y bajan hasta detrás del sofá, aquél tratando de detener a ésta. Héctor está vestido de «smoking». Alicia trae en las manos dos cajas idénticas a las que sacó Héctor al principio del primer acto. Don Ricardo y Carmela* 25 *se ponen en pie como por resortes.*) [19]

VOZ DE ALICIA. ¡Déjeme! ¡Suélteme! ¡Ya nada va a conseguir con eso! ¡Ahorita mismo [20] se lo voy a decir todo a su papá!

VOZ DE HÉCTOR. (*Al mismo tiempo.*) ¡No, Alicia! ¡Espera! ¡Déjame decirte una cosa! ¡Por favor! ¡No hagas eso! 30

ALICIA. (*Apareciendo, agitada.*) ¡Ya no voy a dejar que siga engañando a su papá todo el tiempo!

---

[17] **No . . . químico** There will be no other choice but to blame the chemist.
[18] **Nada . . . yo** Only, I have those.
[19] **se . . . resortes** they get on their feet as if moved by springs.
[20] **Ahorita mismo** Right now.

HÉCTOR. (*Tras de Alicia, tratando de detenerla, al mismo tiempo.*) ¡No es cierto, papá! ¡No le creas nada! ¡Es una mentirosa!

DON RICARDO. ¡Silencio! ¿Qué escándalo es éste? ¿Qué es lo que pasa?

ALICIA. Mire, señor . . . Yo desde hace tiempo se lo quería decir 5
a usted . . . No más que el joven Héctor me ha tenido amenazada [21] . . .

HÉCTOR. ¡No es cierto, papá!

DON RICARDO. ¡A callar! (*Héctor cruza, compungido, hacia la derecha.*) ¿Qué era lo que me querías decir? 10

ALICIA. Que el joven Héctor es el que les cambia las fechas a las inyecciones.

DON RICARDO. ¿Cómo es eso?

CARMELA. ¡Héctor! ¿Es posible?

ALICIA. Siempre tiene de estas cajas en su «closet» y con una agüita 15
que tiene en unas botellas les borra la fecha y luego tiene unos sellitos con los que les pone otra fecha . . .

DON RICARDO. ¿Cómo sabes tú todo eso?

ALICIA. Porque él mismo me lo contó un día que lo encontré haciéndolo . . . Pero luego le entró miedo [22] de que yo lo dijera y por 20
eso empezó a enamorarme. Pero como yo no le hacía caso, me amenazó con que iba a hacer todo lo posible porque me corrieran [23] . . .

CARMELA. (*Llorosa.*) ¿Es verdad, Héctor? ¿Has sido capaz de hacer todo eso? (*Héctor no contesta y se conforma con bajar la cabeza.* 25
Está temblando. Carmela se retira hacia la derecha, esforzándose por ocultar el llanto. Vuelve a sentarse en la silla de la izquierda de la mesa.)

DON RICARDO. (*Que mientras tanto ha tomado las cajas de las manos de Alicia y ha examinado el contenido. Ahogado por la* 30
ira.) ¿Cómo has hecho para conseguir estas cajas?

HÉCTOR. Con una credencial de los laboratorios . . . Iba yo a recogerlas a las farmacias . . .

---

[21] **No . . . amenazada**   It's just that young Hector has been threatening me.
[22] **le entró miedo**   he got scared.
[23] **porque me corrieran**   to get me fired.

DON RICARDO. ¿Quién te dio esa credencial?

HÉCTOR. Zeyer.

DON RICARDO. ¿Cómo Zeyer? ¿Por qué te la dio?

HÉCTOR. El día que fui a los laboratorios estaban haciendo otras cre-
denciales . . . Yo le pedí una . . . y me la dio . . .   5

DON RICARDO. ¿Y tú? ¿Qué es lo que salías ganando con hacer este
cambio? [24]

HÉCTOR. No devolvía las cajas a las mismas farmacias . . . Iba a
otras . . . y se las vendía más baratas de lo que las venden los
laboratorios . . .   10

DON RICARDO. (*Arroja las cajas sobre el sofá y estalla.*) ¡Además de
ladrón, imbécil! ¿No pensaste que más tarde o más temprano las
farmacias donde las recogías iban a reclamarlas? (*Héctor se deja
caer en el banquillo del piano y se cubre la cara con las manos para
ahogar el llanto que ya no puede contener.*)   15

CARMELA. (*Levantándose y yendo a él, llorosa.*) ¿Te das cuenta de
lo que has hecho? . . . Un niño ha muerto a causa de eso . . .
Tal vez otros hayan muerto también sin que nosotros lo sepa-
mos . . . Has expuesto a tu familia al escándalo . . . y la has
colocado al borde de la ruina [25] . . . Un inocente puede ser llevado 20
a la cárcel por tu culpa . . . Tú mismo podrías ir a la cárcel si
esto llegara a descubrirse . . .

HÉCTOR. (*Llorando abiertamente.*) ¡No lo pensé, mamacita! . . .
¡Te lo juro que no lo pensé! . . . Todo lo que yo quería era ganar
un poco de dinero.   25

DON RICARDO. ¡Mientes! Tú no eres de los que no piensan las
cosas . . . Al contrario . . . A un estúpido, podría perdonár-
sele . . . Pero no a ti, que meditas y calculas perfectamente todas
las cosas . . . De ti lo único que puede uno pensar es que eres un
monstruo . . . (*Se oye sonar el timbre de la puerta. Alicia hace* 30
*intento de ir a abrir. Don Ricardo la detiene. Carmela reacciona y
trata de arreglarse rápidamente frente al espejo.*) [26] Espera. (*Toma*

---

[24] **¿Qué . . . cambio?** What did you gain from this business?

[25] **y . . . ruina** and have brought it to the verge of ruin.

[26] **trata . . . espejo** she goes to the mirror to check on her appearance.

las cajas del sofá y se las pasa a Héctor.) Vete a tu cuarto y guarda bien esto.

HÉCTOR. (*Levantándose y tomando las cajas.*) ¡Perdóname, papá!

DON RICARDO. Ya iré yo después a hablar contigo. Espérame en tu cuarto. No es el momento para tratar aquí esta cuestión.[27] (*Héctor se va con las cajas por el mezanín. A Alicia.*) Ya puedes abrir. (*Alicia se va por el vestíbulo. Don Ricardo trata de serenarse.*) No sé cómo vamos a sacar a este muchacho del enredo en que nos ha metido a todos . . .

CARMELA. (*Volviéndose hacia él.*) Si salimos con bien de todo esto, tienes que aplicarle un castigo muy severo. Es indispensable corregirlo . . .

CARLOS. (*Apareciendo por el vestíbulo, vestido de calle,[28] con aire compungido. Alicia se va por el comedor.*) Buenas noches.

DON RICARDO. (*Comprendiéndolo todo al verlo, sin poder disimular su temor y su desilusión.*) Buenas noches . . .

CARLOS. (*Tímidamente, a Carmela, que ha sufrido una fuerte sacudida.*) Señora . . . Muy buenas noches . . .

CARMELA. (*Haciéndose fuerte.*)[29] Pase, Carlos . . . Siéntese y díganos lo que tenga que decirnos . . .

CARLOS. Gracias, señora . . . Efectivamente, tenía la intención de hablar con ustedes . . .

CARMELA. (*Yendo a sentarse a la derecha del sofá.*) Bueno . . . , pues lo escuchamos . . . Siéntese usted . . . (*Carlos baja a sentarse en el sillón de la derecha. Don Ricardo baja por la izquierda del sofá y se sienta en el sillón de la izquierda.*)

CARLOS. (*Después de una pausa embarazosa.*) No necesito explicar a ustedes cuánto siento lo que ha pasado . . .

DON RICARDO. (*Débilmente.*) Gracias.

CARMELA. (*Igual, al mismo tiempo.*) Muchas gracias.

CARLOS. Por desgracia, como ustedes comprenderán, eso me obliga a aplazar mi matrimonio con Beatriz . . .

---

[27] **para . . . cuestión**   to deal with this matter here.
[28] **vestido de calle**   in street clothes.
[29] **Haciéndose fuerte**   Gathering strength.

CARMELA. Francamente . . . yo no veo la razón . . . Por el hecho de que los periódicos hayan publicado una noticia que está muy lejos de haber sido comprobada . . .

DON RICARDO. Nos hace usted muy poco honor al dar por cierta esa noticia sin esperar a oír lo que nosotros tengamos que decir sobre 5
el particular . . . Por principio de cuentas,[30] yo solamente soy socio capitalista de la compañía . . . Por otra parte . . . Estoy seguro de que los laboratorios saldrán airosos [31] de esta calumnia . . . (*Alicia, que ha aparecido por el comedor trayendo una charola con cuatro «martinis», les ofrece a Carmela, a Carlos y a* 10
Don Ricardo. Todos rehúsan con un movimiento de cabeza. Alicia deja la charola sobre la mesita.)

CARLOS. Yo también estoy seguro de ello. Por eso he hablado solamente de un aplazamiento . . . En cuanto las cosas queden en su lugar, no habrá ningún inconveniente en celebrar la cere- 15
monia [32] . . .

CARMELA. Pero comprenda usted el ridículo en que nos deja a Beatriz y a nosotros . . ., media hora antes de la ceremonia . . ., cuando los invitados están por llegar [33] . . . Es decir . . . Los pocos que no hayan dado crédito [34] a la noticia . . . El aplazamiento no hará, 20
en todo caso, más que confirmarla . . .

DON RICARDO. (*Levantándose.*) Y luego . . ., no veo qué culpa pueda tener mi hija en todo esto . . ., en caso de que hubiera alguna culpa.

CARLOS. (*Se levanta.*) Ninguna, naturalmente. Yo soy el primero en 25
lamentar estas desgraciadas circunstancias, por el cariño que le tengo a Beatriz . . . (*Cruzando hacia don Ricardo.*) Pero comprenda usted, don Ricardo, La notaría de mi padre es una de las más prestigiadas de México. Maneja los negocios de todas las firmas más importantes de la ciudad . . . Y yo trabajo en la notaría de 30
mi padre . . . No puedo exponerme al menor descrédito . . .

---

[30] **Por principio de cuentas**   To start with.
[31] **saldrán airosos**   will be cleared.
[32] **En . . . ceremonia**   As soon as everything is back to normal there won't be any obstacle to the marriage.
[33] **están por llegar**   are about to arrive.
[34] **que . . . crédito**   who have not paid any attention.

CARMELA. (*Levantándose, ofendida.*) Sigue usted dando por hecho que, al casarse con Beatriz, se casaría con la hija de una familia de ladrones y criminales . . .

CARLOS. De ninguna manera, señora. Sí, por el contrario, yo he logrado vencer todos los obstáculos que mis padres oponían a esta 5 unión . . . Pero ante una cosa así . . .

CAMELA. ¿Obstáculos . . . ? ¿Qué obstáculos podían poner . . . ?

CARLOS. Nada de importancia, desde luego . . . Ellos son muy conservadores y tienen algunas ideas especiales sobre ciertas cosas . . .

CARMELA. (*Violenta.*) ¿Cuáles? (*Carlos se siente acorralado y no* 10 *sabe qué responder.*)

DON RICARDO. (*Tratando de poner fin a lo embarazoso de la situación.*) [35] Me parece que la única que tiene que resolver esto es la misma Beatriz. Nosotros no vamos a ponerle una pistola en el pecho [36] a Carlos para que se case contra su voluntad . . . 15

CARMELA. No . . . Ni Beatriz tampoco . . .

CARLOS. Pero si yo no estoy tratando de ningún modo de romper mi compromiso con Beatriz. (*Suena el teléfono. Don Ricardo cruza para contestarlo. Habla fría, duramente.*)

DON RICARDO. ¿Bueno? . . . Sí . . . ¿Eres tú, Daniel? . . . ¿Y qué 20 voy yo a hacer a la Procuraduría? . . . Pues mi declaración será bien corta. Que soy socio capitalista del negocio y que ignoro absolutamente lo que pasa . . . Si tú hubieras resuelto los problemas de la compañía sin mezclarme a mí, como era tu deber, no estaría yo sufriendo estas molestias . . . Sí, voy para allá en seguida. 25 (*Cuelga. A Carmela.*) Voy a tener que ir a declarar a la Procuraduría. Lo mejor será que llames a Beatriz de una vez . . .

CARMELA. Sí, voy a llamarla. Me despido de usted, Carlos.

CARLOS. (*Dándole la mano.*) Señora, le ruego que me perdone . . .

CARMELA. No tengo nada que perdonarle. Estoy segura de que Beatriz 30 sabrá resolver lo que más le convenga.[37] (*Se va por el mezanín.*)

CARLOS. (*A don Ricardo.*) Yo quisiera que usted entendiera mis

[35] **Tratando . . . situación** Trying to bring the embarrassing situation to a close.
[36] **ponerle . . . pecho** to force him.
[37] **sabrá . . . convenga** will know how to decide what is best for her.

razones, don Ricardo. Yo no puedo decidir por mí mismo en un caso como éste, sin tomar en cuenta los intereses de mi familia. Me debo a ella [38] . . . y aunque sus decisiones sean a veces contrarias a mi conveniencia y hasta mis sentimientos, mi obligación es solidarizarme con los míos [39] . . .   5

DON RICARDO. (*Que ha escuchado con sumo interés y en quien las palabras de Carlos parecen haber causado gran impacto. Habla más bien para sí.*) Entiendo perfectamente . . . Y ahora comprendo que mi gran error fue no haber sembrado en mi familia el mismo espíritu de unión, la misma solidaridad . . . Por eso la de usted 10 es una familia fuerte . . ., en tanto que la mía se desgaja y parece que va a desbaratarse al primer impulso adverso . . . (*Volviendo a la realidad.*) Sin embargo, tengo la impresión de que usted está a punto de cometer el mismo error. Por solidaridad con la familia a la que pertenece, empieza usted por ser desleal a la familia que 15 quiere formar . . ., a la que va a ser en realidad su única y auténtica familia . . . Verdaderamente, me parece muy mal principio.

CARLOS. (*Lastimado.*) Don Ricardo . . . (*Jorge baja de las habitaciones vestido de «smoking». Tan pronto como don Ricardo lo ve,* 20 *le sale al encuentro frente al piano. Carlos, nervioso, se aparta un poco a la izquierda.*)

DON RICARDO. ¡Ah, Jorge! Mira . . . Aquí está la lista de los invitados. (*La saca de la bolsa.*) Llama rápidamente a todos por teléfono y les dices que el matrimonio se ha aplazado por una 25 indisposición de tu hermana . . . Que oportunamente se les avisará la fecha en que se celebre . . .

JORGE. (*Sorprendido y apenado, toma la lista y va al teléfono.*) Sí, papá. (*Mirando con recelo a Carlos.*) ¿Qué tal, viejo?

CARLOS. Qué tal . . .   30

DON RICARDO. ¡Ah! Le llamas al juez antes que a nadie. Y llévate mejor el teléfono al «office», porque Carlos va a hablar aquí con tu hermana . . . Yo tengo que salir un momento . . .

JORGE. Sí, papá. (*Desenchufa el teléfono y se lo lleva por el comedor,*

---

[38] **Me debo a ella**   I have obligations to it.
[39] **con los míos**   with my people.

mientras don Ricardo baja hasta el primer término, al centro, para despedirse de Carlos.)

DON RICARDO. Créame, Carlos, que cualquiera que sea el resultado de este asunto, usted seguirá contando con toda nuestra estimación y que siempre será muy bien venido a esta casa.   5

CARLOS. (*Dándole la mano.*) Muchas gracias, con Ricardo.

DON RICARDO. Hasta luego, entonces.

CARLOS. Buenas noches. (*Don Ricardo hace mutis por el vestíbulo. Cuando Carlos queda solo, va nerviosamente hasta la chimenea, haciendo un esfuerzo por dominarse, camina despacio hasta el* 10 *extremo derecho, meditando. Desde allí se vuelve cuando oye bajar a Beatriz, que aparece por el mezanín, deslumbrante en su vestido, de «soirée». Indudablemente está ya enterada de lo que pasa, pues su porte es altivo y su tono sarcástico, pero interiormente está profundamente herida.*)   15

BEATRIZ. (*Parándose en la escalera del mezanín.*) Me dijo mi mamá que querías hablarme . . .

CARLOS. (*Muy cohibido.*) Sí, Beatriz . . .

BEATRIZ. Pues aquí estoy.

CARLOS. Por favor . . . Ven a sentarte. (*Le indica el sofá.*)   20

BEATRIZ. Como gustes . . . (*Baja por la·izquierda del sofá y se sienta en ese mismo lado.*) Tú dirás ⁴⁰ . . .

CARLOS. Supongo que ya te habrá dicho tu mamá . . .

BEATRIZ. Sí, todo absolutamente.

CARLOS. (*Yendo a sentarse junto a Beatriz.*) Antes que nada, quiero 25 que sepas que mi cariño hacia ti no ha variado en lo más mínimo . . . Que es lo más importante para mí . . . Que te quiero y te seguiré queriendo por encima de todas las cosas y que mi decisión de casarme contigo es inquebrantable . . . (*Trata de tomarle la mano, que Beatriz retira con elegancia.*)   30

BEATRIZ. ¿Crees tú?

CARLOS. Estoy completamente seguro. ¿Por qué lo dudas?

BEATRIZ. (*Levantándose y yendo hacia la chimenea.*) De manera que, según tú, nadie puede quebrantar tu decisión . . . Por lo visto, la mía no cuenta para nada . . .   35

⁴⁰ **Tú dirás**   Go ahead and speak.

CARLOS. (*Mirándola, atemorizado.*) ¿Qué quieres decir?

BEATRIZ. Que mi decisión de no casarme contigo es igualmente inquebrantable.

CARLOS. (*Levantándose, angustiado.*) ¡Beatriz! . . . Deberías pensarlo mejor . . . En este momento estás exaltada . . . Estás 5
nerviosa . . .

BEATRIZ. (*Se vuelve hacia él aparentando exagerada y fría naturalidad.*) No . . . en lo más mínimo . . . Estoy perfectamente tranquila. ¿Y sabes una cosa? A mí misma me ha llamado la atención,
porque me he dado cuenta de que no me importa para nada. 10

CARLOS. (*Yendo rápidamente hacia ella. En tono suplicante.*) Eso
no es verdad, Beatriz . . . Yo sé que me quieres . . . Que me
has querido . . . Cómo es posible que así . . ., en un momento . . .

BEATRIZ. (*Cruzando hasta el extremo derecho.*) ¿No te he dicho que 15
a mí misma me ha llamado la atención? Y me alegro mucho de que
me hayas dado esta oportunidad de darme cuenta, porque de lo
contrario hubiéramos cometido una equivocación imperdonable.

CARLOS. (*Yendo hasta el centro del proscenio.*) Permíteme que te
diga que no lo creo, Beatriz . . . Te sientes ofendida y estás 20
haciendo todo lo posible por lastimarme . . . Estás representando
una comedia . . . Y eso es indigno de ti, Beatriz . . . Tú eres
una muchacha fina . . .

BEATRIZ. (*Cínica. Con mucha ironía.*) Nada de eso . . . Otra de
las cosas de que me he dado cuenta es de que no soy fina . . . 25
Nunca lo he sido. Y tú tampoco lo crees . . . A una muchacha a
quien tú considerases realmente fina, jamás te hubieras atrevido a
proponerle que aplazara su matrimonio, media hora antes de la
ceremonia . . . Por el contrario . . ., siempre me he sentido
muy grosera junto a ti y muchas veces he tenido que hacer verda- 30
deros esfuerzos para no demostrarlo . . . ¡Ésa ha sido la comedia! Pero ahora no quiero que te vayas sin que me conozcas tal cual
soy, para que no tengas remordimientos. ¿Sabes lo que me pareces
allí parado en medio del salón? (*Él la mira dolido y atemorizado.
Ella le arroja a la cara su desprecio.*) [41] ¡Un payaso ridículo! 35

---

[41] **Ella . . . desprecio** She flings her scorn to his face.

CARLOS. (*Reaccionando con dignidad.*) En realidad, nunca esperé que me hicieras este recibimiento.[42]

BEATRIZ. No es un recibimiento. Es una despedida. Y definitiva. (*Le vuelve la espalda. Carlos interrumpe un último ademán hacia ella. Medita un segundo y, tomando una resolución, se va rápidamente* 5 *por el vestíbulo. Cuando Beatriz se da cuenta de que se ha ido, se vuelve y, haciendo grandes esfuerzos por convencerse a sí misma de su tranquilidad, coloca las manos por detrás y camina a pasos largos, pausados y firmes, hacia el sofá. Queda detrás de la mesita y de pronto repara en los «martinis» que Alicia había dejado allí.* 10 *Toma una copa, sin deseo, como por curiosidad, la prueba y luego la bebe, como un vaso de agua. Deja la copa y se queda mirando las demás. En un rápido impulso, toma otra y la bebe de un solo trago.[43] La impresión es de desagrado. Y aquí, su tensión se rompe. Arroja la copa contra la chimenea, se tira sobre el sofá y trata de ahogar* 15 *los sollozos que ya no puede contener, hundiendo la cara entre los brazos. Instantes después se oye sonar el timbre de la puerta, y un momento más tarde atraviesa Alicia del comedor al vestíbulo, para reaparecer al cabo de varios segundos, seguida de Manuel, vestido de «smoking», que permanece en la puerta del vestíbulo mientras* 20 *ella avanza hasta el respaldo del sofá.*)

ALICIA. Señorita . . . Señorita . . .

BEATRIZ. (*Incorporándose. Como si despertara.*) ¿Eh . . . ? ¿Qué . . . ?

ALICIA. Está aquí el señor Torres.

BEATRIZ. (*Vuelve violentamente hacia el vestíbulo y descubre a* 25 *Manuel. Con gran alegría.*) ¡Ah Manuel! ¡Qué gusto! (*Se levanta y, tratando de componerse un poco[44] con discreción, le sale al encuentro. No está trastornada. El efecto de las copas se notará cuando mucho[45] en una mayor desenvoltura, viveza y seguridad, y si acaso, muy de cuando en cuando, en cierta pastosidad casi imper-* 30 *ceptible de la lengua,[46] cuando se trata de palabras de difícil dicción.*)

MANUEL. (*Un tanto extrañado de la soledad y del aspecto y la actitud*

[42] **nunca . . . recibimiento** I never thought that you would greet me this way.
[43] **de un solo trago** in one gulp.
[44] **tratando . . . poco** trying to fix herself up.
[45] **cuando mucho** if at all.
[46] **cierta . . . lengua** a certain difficulty in pronouncing.

de Beatriz.) ¿Cómo está, Beatriz? ¿Ha pasado algo? ¿Se siente usted mal?

BEATRIZ. ¡Todo lo contrario! ¡Me siento dichosa! (*Va hacia la mesita y desde allí se vuelve a Manuel.*) ¿Quiere saber lo que ha pasado? ¡Que he roto mi compromiso! Me alegro de que haya venido, 5 porque usted y yo vamos a celebrarlo solos. (*Se inclina para tomar dos copas, una de las cuales ofrece a Manuel.*) ¡Venga! ¡Acérquese! ¡Vamos a beber por mi felicidad! (*Manuel se acerca sin poder disimular su desconcierto y toma la copa que le ofrece Beatriz.*) ¡Salud! ¡Por mi felicidad! (*Choca su copa* [47] *con la de Manuel.*) 10

MANUEL. A su salud, Beatriz. (*Ella bebe toda la copa de una sola vez, en tanto que Manuel da un pequeño sorbo.*) Créame que lo siento mucho . . .

BEATRIZ. Hace usted mal . . . (*Se sienta en el centro del sofá y le indica el lugar a su derecha.*) Venga, siéntese aquí. (*Manuel lo* 15 *hace.*) ¿Sabe lo que voy a hacer ahora? (*Lo contempla un momento, sonriendo.*) Me voy a casar . . . con un hombre como usted!

MANUEL. (*Riendo de buena gana.*) [48] No se lo aconsejo . . .

BEATRIZ. ¿Por qué? 20

MANUEL. Primeramente, porque tendría usted que pasar muchas privaciones y muchos trabajos a los que no está acostumbrada.

BEATRIZ. Eso no tiene importancia. ¿Y después?

MANUEL. Después . . . , aunque yo no creo en la diferencia de clases . . . , sí me parece que para que haya armonía en el matri- 25 monio, debe haber un relativo nivel económico . . . , un equilibrio social . . . , cierta similitud de hábitos, gustos y costumbres entre las dos familias y hasta entre sus respectivos círculos de amistades . . . De lo contrario, pronto empiezan a surgir diferencias y problemas que hacen de la vida conyugal un infierno . . . 30

BEATRIZ. Pero yo no soy ninguna aristócrata . . . No encuentro que entre . . . un hombre como usted y . . . yo, existan esas diferencias . . .

MANUEL. (*Levantándose para dejar su copa sobre la mesita. Luego*

---

[47] **Choca su copa**   She touches her glass.
[48] **Riendo de buena gana**   Laughing wholeheartedly.

cruza hacia la chimenea.) Mucho más de lo que usted imagina, Beatriz. Yo soy un hombre de origen sumamente humilde . . .

BEATRIZ. Yo también . . . Mi papá empezó su carrera como un modestísimo empleado.

MANUEL. (*Sonríe y se sienta en el brazo derecho del sillón de la iz-* 5 *quierda.*) Por lo que a mí respecta, voy a desilusionarla de una vez por completo: [49] soy hijo de una sirvienta indígena . . . y de un padre desconocido . . .

BEATRIZ. (*Se levanta, asombrada. Para sí misma.*) ¿Cómo es posible?

MANUEL. No me da vergüenza decirlo, aunque habitualmente, como 10 es natural, rehuyo hablar de ello.

BEATRIZ. (*Yendo hacia él. Más bien con admiración.*) ¿Pero cómo es posible? Usted, un profesionista . . .

MANUEL. El caso es más general de lo que usted cree. Es así como esas pobres mujeres cumplen con la ley de la vida.[50] Son el instru- 15 mento ciego de que se vale la Naturaleza para seguir consolidando una raza nueva, a la que le prestan, cuando menos, el color de su piel . . . (*Cruza a la derecha, hasta el centro de la escena, y luego se sienta en el brazo derecho del sillón de la derecha.*) Como ya no hay conquistadores ni colonos que vayan a mezclarse con ellas en 20 el campo, ellas vienen a la ciudad, obligadas por la necesidad, a buscar acomodo en los hogares, en donde por grado o por fuerza un día tienen que rendirse al requerimiento de sus amos. No hay deseo. No hay ni amor ni placer. Ni siquiera pecado.[51] Son como esas flores que abren sus corolas para recibir el polen que les trae 25 el viento de no saben qué otras flores ignoradas y remotas. (*Baja la cabeza y se calla un momento. Ella lo mira fascinada desde la chimenea.*) Luego . . . empieza su calvario. Rechazadas de todas partes, se convierten en la madre y en el padre de las criaturas que traen al mundo, por las que luchan sin descanso para abrirles paso 30 en el ambiente tumultuoso.[52] de la ciudad. Naturalmente, muchas

---

[49] **Por . . . completo** As for me I am going to disillusion you once and for all.
[50] **la ley de la vida** natural law.
[51] **Ni siquiera pecado.** Not even sin.
[52] **para . . . tumultuoso** to help them get ahead in the turbulent environment.

fracasan. Pero otras, tal vez las menos, logran su propósito [53] y encuentran en ello la razón de ser y la felicidad de su vida.

BEATRIZ. (*Va lentamente hacia él, le toma la mano y le habla con voz enamorada.*) ¿Quiere que le diga una cosa? Siento que lo aprecio infinitamente más por todo lo que acaba de decirme. (*Se* 5 *miran profundamente a los ojos durante un instante. Luego, ella misma rompe el encanto del momento, y, recobrando su tono frívolo, cruza hasta el muro de la derecha, donde toca el timbre.*) Bueno . . . Pero dijimos que íbamos a celebrar la ruptura de mi compromiso . . . Tenemos que hacer algo . . . Ya no vamos a 10 hablar más de esas cosas . . .

MANUEL. (*Levantándose.*) Como usted guste . . .

BEATRIZ. (*Yendo hacia él con rítmicos movimientos infantiles.*) Estoy contenta como nunca lo había estado. Tengo ganas de beber . . ., de aturdirme . . . 15

ALICIA. (*Aparece por el comedor.*) ¿Llamó usted, señorita?

BEATRIZ. Sí, Alicia. Bájame mi estola.

ALICIA. Muy bien, señorita.

MANUEL. ¿Tiene usted frío? ¿No se siente bien?

BEATRIZ. ¡Nada de eso! [54] Nos vamos a ir a la calle. ¡A los «cabarets»! 20 Pero no a los «cabarets» elegantes donde la gente tiene miedo de divertirse y se sienta en una mesa a exhibirse como los maniquíes en los escaparates de las tiendas . . . ¡Nos vamos a ir a los arrabales! A confundirnos con la multitud que de verdad necesita divertirse . . . 25

MANUEL. (*Ligeramente desconcertado.*) Yo iría con muchísimo gusto . . . Pero . . . no sé si deba . . . No soy más que un empleado de su papá . . .

BEATRIZ. ¿Qué tiene eso que ver?

MANUEL. Cuando menos . . ., creo que sería conveniente pedirle 30 permiso.

BEATRIZ. No está.

MANUEL. A su mamá, entonces.

BEATRIZ. ¡No! ¡Ésta es una escapada!

[53] **tal . . . propósito**   perhaps the minority achieve their objective.
[54] **¡Nada de eso!**   Not at all!

ALICIA. (*Bajando por la derecha del sofá.*) Aquí está, señorita.
MANUEL. (*Cruza para tomar la estola.*) Gracias. (*Alicia hace mutis
por el comedor. Mientras Manuel coloca la estola en los hombros
de Beatriz, ella desliza sus manos sobre las de él.*)
BEATRIZ. ¿No quiere usted acompañarme? 5
MANUEL. Debería usted pensarlo mejor, Beatriz. No me parece co-
rrecto . . .
BEATRIZ. (*Tomando una decisión, va hacia la puerta del vestíbulo. A
medio camino se para y se vuelve hacia Manuel.*) ¿Sabe una cosa?
Si usted no va conmigo, voy a ir sola. ¿Prefiere que me vaya sola? 10
(*Manuel se desconcierta y titubea sin saber qué decir. Ella apro-
vecha ese desconcierto y desde su lugar le tiende la mano con
coquetería.*) ¿No viene usted? (*Tras un instante de indecisión,
Manuel se resuelve y va a tomar la mano de Beatriz. Los dos hacen
mutis rápidamente por el vestíbulo, como en una huida,[55] mientras* 15
con igual rapidez cae el

T E L Ó N

CUADRO SEGUNDO

ESCENA: *La misma del cuadro anterior, el día siguiente, poco después de
las cinco y media de la mañana. Todo está como quedó la noche anterior,
con excepción de las copas, que han sido retiradas, y del candil, que ha
sido apagado. Las lámparas permanecen encendidas. La luz del exterior
empezará a aumentar paulatinamente desde el principio del acto hasta el
final, en que será completamente de día.*

*Al levantarse el telón, Carmela está sentada, cubierta con una bata,
en el sillón de la izquierda. Su actitud es de extremo abatimiento. No llora,
pero se conoce que lo ha hecho toda la noche. En el «couch» del mezanín,
acodado sobre las rodillas [56] y apoyada la cabeza entre los puños, está sen-
tado Héctor. Viste todavía de «smoking», pero se ha soltado la corbata
y se ha desabrochado el cuello. Está despeinado y su gesto tiene una
expresión trágica.*

[55] **como en una huida** as if they were escaping.
[56] **acodado sobre las rodillas** with his elbows on his knees.

CARMELA. (*Después de un momento, con voz fatigada.*) ¿Qué horas son, Héctor?

HÉCTOR. (*Se levanta y va hacia la ventana.*) Deben ser más de las cinco. Está empezando a amanecer.

CARMELA. Y ni tu padre ni Jorge regresan . . . (*Con un acceso de 5 llanto contenido.*) ¿Dónde puede haberse metido esa niña? [57]

HÉCTOR. (*Viniendo al barandal.*) No te preocupes, mamá . . . Estará en algún «cabaret» . . . Pero ve tú a saber cuál [58] . . .

CARMELA. ¿Te das cuenta de todo lo que has hecho, Héctor?

HÉCTOR. (*Con rabia y desesperación, a punto de estallar en llanto, 10 golpea el barandal con el puño.*) ¡Sí, Sí! ¡No tengo perdón! ¡Soy un imbécil! Tiene que haber algo dentro de mí que me obliga a hacer cosas perversas . . . Eso no es normal . . .

CARMELA. No hay nada anormal. Si tú te propones ser bueno, todo lo que hagas tendrá que ser bueno . . .   15

HÉCTOR. Hasta lo que hago con las mejores intenciones, creyendo que es algo bueno, al fin resulta malvado. ¡Debe de haber algo maldito en mi sangre!

CARMELA. (*Se levanta, aterrorizada.*) ¡Te prohibo que vuelvas a decir eso! ¡Es una blasfemia! No quiero volvértelo a oír, ¿entiendes? 20

HÉCTOR. (*Con un ademán de impotencia y desaliento, se retira hacia la ventana.*) ¿Lo ves? Yo no lo dije con esa intención. Pensaba nada más en la mezcla de sangres . . ., en el choque, de que hablaba mi papá la otra noche . . .

CARMELA. Tú, menos que nadie, debes pensar en semejante cosa. Tú 25 eres rubio . . . Tienes los ojos azules . . .

HÉCTOR. Es lo que más me preocupa . . . Si el resultado de ese choque no es precisamente una cuestión de color de la piel . . ., sino más bien algo que sucede dentro de la mente . . ., en el cerebro . . ., en los nervios . . . ¡No sé! . . . (*Dice esto último 30 con rabia y se vuelve a mirar hacia afuera, a través de la ventana.*)

CARMELA. (*Totalmente desconcertada.*) Además . . ., no sé por

---

[57] **¿Dónde . . . niña?** Where could that girl have gone?
[58] **Estará . . . cuál** She is probably in some cabaret . . . But who knows which one.

qué hablas de choque de sangres . . . Sabes perfectamente que
. . . tu papá . . . y yo . . . tenemos la misma mezcla . . . ,
somos de una misma raza . . . (*Héctor se vuelve hacia ella y la
mira fija y profundamente,*[59] *sin atreverse a decir lo que quisiera
decir. Hay angustia, incertidumbre y recriminación a un tiempo* 5
*en esa mirada. Carmela la sostiene valientemente durante unos
segundos,*[60] *pero al fin se traiciona y, no pudiendo soportarla, se da
la vuelta* [61] *con amargura y se apoya, desfallecida, en la repisa de la
chimenea. Héctor, profundamente dolido, reclina la cabeza contra
la ventana.*) 10

HÉCTOR. (*Después de una pausa.*) Ahí está ya papá.

CARMELA. (*Volviéndose rápidamente.*) ¿Con Beatriz?

HÉCTOR. No . . . , solo . . .

CARMELA. (*Ansiosa, pero tratando de dominar sus nervios, sube por
la izquierda del sofá hasta la izquierda del piano.*) ¡Dios mío! 15
¿Dónde puede estar? . . . ¿Dónde puede estar? (*Después de un
momento se oye cerrar la puerta de entrada y aparece don Ricardo
por el vestíbulo. Sobre el frac, tiene puesto el abrigo, con el cuello
levantado. En su cara se advierten la angustia y la vigilia. Héctor
viene otra vez al barandal, expectante.*) 20

DON RICARDO. ¿No ha venido Jorge?

CARMELA. No . . .

DON RICARDO. ¿No ha llamado por teléfono?

CARMELA. No, ¿por qué? ¿Sabes algo?

DON RICARDO. Nada. Hemos buscado hasta el último rincón donde 25
podía estar. Jorge ha ido a enterarse a las «cruces» [62] . . . , a las
delegaciones . . . Puede haberle pasado algo . . .

CARMELA. (*Alarmada.*) ¡No digas eso, por lo que más quieras! [63]
(*Apartándose, desconsolada, a la izquierda.*) Dios no ha de per-
mitirlo . . . 30

---

[59] **fija y profundamente**   directly and intensely.
[60] **Carmela . . . segundos**   Carmela meets it bravely for a few seconds.
[61] **se da la vuelta**   she turns around.
[62] **«cruces»**   *Emergency first aid stations in Mexico.*
[63] **por . . . quieras**   no matter what.

HÉCTOR. (*Tímidamente, desde el barandal.*) Si me dieran permiso de salir, yo podría . . .

DON RICARDO. (*Seco. Despectivo.*) No. Tú, no. (*Héctor, humillado, se da la vuelta y permanece de espaldas. Don Ricardo se deja caer, abatido, en la silla de la izquierda de la mesa.*) Ya sabía que ese 5 individuo no podría traernos nada bueno . . . Lo presentía . . . A esa gente hay que tratarla como lo que es . . . No se les puede hacer la menor confianza, porque no la merecen y . . . , ¡claro!, abusan en seguida. . . .

CARMELA. En realidad, no estamos seguros de que Beatriz esté con 10 él . . .

DON RICARDO. ¡Con quién más iba a estar! Alicia los vio salir juntos. (*Pequeña pausa.*) Ahora estoy contento de que Zeyer haya declarado en contra de él. Afortunadamente, hoy mismo lo buscarán para aprehenderlo. 15

CARMELA. De cualquier modo, eso no está bien, Ricardo. Tú sabes que es inocente.

DON RICARDO. ¡Es que me tiene rabioso! [64] ¡Por qué ha hecho esto! ¡Por qué! (*Se oye cerrar la puerta exterior. Don Ricardo se levanta y queda suspenso. Carmela se yergue, ansiosa. Héctor se precipita* 20 *al barandal y observa angustiado hacia el vestíbulo, por donde a poco aparece Beatriz, tranquila, sonriente, con un brillo de satisfacción y malicia en los ojos. Avanza hasta el piano, observando con curiosidad las actitudes trágicas de sus padres, quienes de pronto permanecen en silencio, hasta que Carmela se precipita* 25 *hacia ella. Héctor baja lentamente del mezanín hasta el respaldo del sofá.*)

CARMELA. ¡Beatriz! ¡Hija! ¿Qué es lo que has hecho? ¿Dónde has estado?

BEATRIZ. (*Muy natural.*) Paseando, mamá. 30

DON RICARDO. ¿Te parece bien tener a toda tu familia angustiada hasta estas horas de la mañana?

BEATRIZ. Pero . . . ¿por qué angustiada, papá?

DON RICARDO. ¿En dónde estabas? Te hemos buscado en todos los «cabarets» de México. 35

---

[64] **¡Es . . . rabioso!** It's just that he's made me furious!

BEATRIZ. Estuvimos en muchas partes . . . Tal vez no coincidimos . . .

DON RICARDO. Y luego . . . ¡con quién! Con un pelagatos cualquiera [65] . . .

BEATRIZ. (*Yendo hacia don Ricardo.*) Pero no comprendo por qué 5 tanta alarma y tantos aspavientos. ¿No he salido toda la vida con Carlos?

CARMELA. (*Adelantándose hasta el brazo izquierdo del sillón derecho.*) Pero siempre sabíamos dónde estabas.

DON RICARDO. Y Carlos pertenece a una familia conocida. Es un 10 muchacho decente . . .

BEATRIZ. ¡Manuel también lo es!

DON RICARDO. Es lo que está por verse [66] . . .

BEATRIZ. Y yo también soy una muchacha decente, papá. Mi decencia no depende del hombre que me acompañe, sino de mí misma. 15

DON RICARDO. En cuanto a ese individuo, tendrá que responderme de su abuso de confianza y de su falta de respeto.

BEATRIZ. Pero si yo lo obligué, papá.[67] Él no quería acompañarme a menos de que ustedes dieran su consentimiento.

CARMELA. ¿Entonces? 20

BEATRIZ. ¡Mammy! ¿Crees que después de lo que acababa de pasar yo estaba muy normal y muy tranquila? ¿Que podía ir muy seriecita y muy mona [68] a pedir permiso de salir, prometiendo estar de regreso a buena hora? Sí, por el contrario, tenía ganas de hacer algo . . . , alguna cosa . . . , una locura . . . Y obligué a Manuel 25 a que saliéramos juntos. Le dije que si él no me acompañaba, me iría sola. Fue entonces cuando se decidió a salir conmigo. (*Riendo.*) ¿Y saben lo que hizo? Se dedicó a cuidarme como si fuera su hija o su hermana menor. Nunca me he sentido tan acompañada ni tan protegida. Lo único malo es que no me dejó hacer ninguna 30 locura. Por primera vez me di cuenta de lo que significa para una mujer tener a su lado a un hombre.

[65] **Con un pelagatos cualquiera**   With a nobody.
[66] **Es . . . verse**   That remains to be seen.
[67] **Pero . . . papá**   But I forced him, dad.
[68] **muy . . . mona**   very serious and proper.

DON RICARDO. (*Amainando un poco.*) [69] En mis tiempos, esto hubiera bastado [70] para exigir a ese caballero que se casara contigo.

BEATRIZ. ¡Yo lo haría encantada, papá! Pero ¿sabes? Existe un pequeño inconveniente . . . (*Va a sentarse en el sillón de la derecha.*) No para mí, por supuesto . . ., sino para ti. Es hijo de 5 una criada . . . (*Reacción de don Ricardo y Carmela, que se dirigen una mirada* [71] *significativa. Héctor también reacciona y pone desmesurada atención.*)

DON RICARDO. ¡Cómo! . . . ¿Y quién es su padre?

BEATRIZ. No lo sabe. No lo conoció. 10

DON RICARDO. Pues a mí me dijo que sí lo había conocido . . . De manera que a uno de los dos le ha mentido.

BEATRIZ. Sí . . . Lo comprendo . . . A mí me explicó que habitualmente rehuye hablar de eso. (*Nueva mirada de desconcierto de don Ricardo y Carmela. Ésta va a sentarse en el brazo del sillón* 15 *donde está Beatriz y la estrecha contra ella.*)

CARMELA. ¿No te habrás enamorado de ese muchacho?

BEATRIZ. Creo que sí . . . Me parece que empiezo a sentir lo que es eso . . .

CARMELA. Pero no sabemos nada de él . . . No conocemos sus 20 antecedentes . . . Habrá que averiguar antes . . .

BEATRIZ. Yo sí los conozco. ¿No te estoy diciendo que es el hijo de una criada? No sabe quién fue su padre . . . Es ingeniero químico . . . y es un muchacho decente . . . ¿Todo eso no quiere decir nada para ustedes? 25

DON RICARDO. (*Buscando con la vista sobre la mesa de la derecha.*) Voy a tomar un vaso de agua. Tengo la garganta seca. (*Hace mutis por el comedor. Casi al mismo tiempo se oye sonar el timbre de la puerta.*)

CARMELA. (*Extrañada.*) ¿Quién puede ser a estas horas? 30

HÉCTOR. Voy a ver. (*Se va por el vestíbulo.*)

CARMELA. Debes pensarlo bien, Beatriz . . . No es posible que te hayas enamorado así, tan repentinamente . . . Puede ser una

---

[69] **Amainando un poco** Relaxing a little.
[70] **hubiera bastado** would have been enough.
[71] **se . . . significativa** look at each other significantly.

falsa impresión . . . En este momento te sientes despechada
y . . .

BEATRIZ. No . . . Creo que no es eso . . . Además . . . , estas
cosas no se piensan, mammy . . . Se sienten . . . y uno no puede
evitarlo . . . 5

HÉCTOR. (*Apareciendo por el vestíbulo.*) Pase usted por aquí, señora.

CARMELA. (*Levantándose.*) ¿Quién es, Héctor?

HÉCTOR. La mamá del ingeniero Torres. (*Beatriz también se levanta
para salir al encuentro de la visita. La Señora Torres aparece por
el vestíbulo. Es una mujer de tipo indígena, de más de cincuenta* 10
*años, vestida a la usanza de las mujeres mexicanas de la clase
media pobre:* [72] *falda larga, blusa negra, suéter de abrochar,
también negro, y chal del mismo color sobre la cabeza. Se la nota
atribulada, aunque observa una actitud respetuosa, pero digna.*)

SRA. TORRES. Buenos días. 15

BEATRIZ. Buenos días. Pase usted, señora.

CARMELA. (*A la expectativa.*) [73] Buenos días . . .

SRA. TORRES. Quisiera hablar con el señor Torres Flores. Es algo muy
urgente. Por eso me tomé la libertad de venir a molestar a estas
horas. 20

CARMELA. Avísale a tu papá, Héctor.

HÉCTOR. Sí, mamá.

BEATRIZ. (*Tomándola por el brazo.*) En este momento viene. Pase
usted a sentarse. (*La conduce al sofá.*)

SRA. TORRES. Muchas gracias. (*Se sienta en la orilla del sofá. Beatriz* 25
*se aparta a la derecha. Don Ricardo aparece por el comedor, con
aire desconcertado y temeroso. Consulta con la vista a Carmela,
quien se conforma con indicarle con los ojos* [74] *a la señora. Don
Ricardo, viéndola de espaldas, titubea. Baja lentamente por la
izquierda del sofá, como si tratara de evitar el momento de enfren-* 30
tarla. No habla hasta que no la ha visto bien, [75] *todavía dudando.*

---

[72] **vestida . . . pobre**   dressed in the manner of Mexican women belonging to
lower middle class.

[73] **a la expectativa**   *See note 146, Act I.*

[74] **quien . . . ojos**   who simply indicates the woman to him with her eyes.

[75] **No . . . bien**   He does not speak until he has gotten a good look at her.

Héctor, que ha aparecido después de don Ricardo, por el comedor, observa la escena tímidamente, pero con gran curiosidad.)

DON RICARDO. Buenas noches.

SRA. TORRES. Buenas noches, señor.

DON RICARDO. ¿Quería usted hablar conmigo, señora?   5

SRA. TORRES. (*Levantándose.*) ¿Usted es el señor Torres Flores?

DON RICARDO. Para servirla, señora. Siéntese usted. (*Ella lo hace.*) ¿Usted es . . . la madre del ingeniero Torres . . .?

SRA. TORRES. Sí, señor.

DON RICARDO. (*No deja de observarla con gran interés, pero no se* 10 *atreve a hacer la pregunta que quisiera hacer.*) Y . . . ¿En qué puedo servirla?

SRA. TORRES. (*Sin poder contener el llanto, yendo hacia él.*) Señor . . . Acaban de llevarse a la cárcel a Manuel . . .

BEATRIZ. ¡No puede ser! ¿Por qué?   15

DON RICARDO. (*Al mismo tiempo.*) A ver . . . ¿Cómo está eso?

SRA. TORRES. Toda la noche estuvieron esperándolo en la casa unos agentes de la policía . . . , que por la falsificación de unas medicinas . . . Yo le juro a usted, señor, que no es cierto . . . Manuel siempre ha sido muy honrado y muy bueno . . .   20

BEATRIZ. (*Indignada.*) ¡Eso es un atropello indigno, papá! ¡Yo no creo que Manuel sea capaz de una cosa semejante!

SRA. TORRES. Lo que pasa es que su patrón, ese señor Zeyer, nunca lo ha querido . . . Pero yo sé que usted es un hombre recto y bondadoso . . .   25

DON RICARDO. (*Reaccionando.*) ¿Usted . . . ha oído hablar de mí?

SRA. TORRES. A mi hijo . . . Siempre se ha expresado muy bien de usted . . . ¡Señor! Usted puede influir para que lo dejen libre . . . Manuel es mi único apoyo . . .

DON RICARDO. Entiendo que . . . el padre del ingeniero murió 30 siendo él muy niño . . .

SRA. TORRES. No, señor . . . Me han dicho que vive . . . Pero Manuel ni lo conoció . . . Yo misma no lo volví a ver desde antes de que naciera Manuel . . .

DON RICARDO. Pero . . . si usted lo viera, lo reconocería segura- 35 mente . . .

SRA. TORRES. Yo creo que no . . . Apenas lo conocí . . . Éramos muy jóvenes entonces . . . y han pasado tantos años . . . Los dos hemos de haber cambiado mucho . . . (*Don Ricardo se aparta a la izquierda. Beatriz está ansiosa, sin comprender lo que pasa. Carmela, viendo el desconcierto de don Ricardo, interviene.*) 5

CARMELA. ¿El apellido del ingeniero Torres es el de usted, o el de su padre?

SRA. TORRES. No . . . , es el mío. El apellido de su papá es Martínez . . . Pero yo nunca he querido que lo use . . . (*Don Ricardo se vuelve aliviado por esa solución inesperada.*) 10

BEATRIZ. (*Impaciente.*) ¡No sé a qué viene todo eso en este momento, papá! ¡Tienes que hacer que pongan en libertad a Manuel inmediatamente!

DON RICARDO. Yo haré todo lo posible . . .

SRA. TORRES. (*Yendo hacia Beatriz.*) Niña . . . Yo le juro que mi 15 hijo es un hombre honrado . . . Por lo que más quiera usted en el mundo . . . dígale a su papacito que no permita ese atropello . . .

BEATRIZ. (*Consolándola con unas palmadas.*) Cuente usted conmigo, señora. Yo me encargo de eso. 20

SRA. TORRES. (*Volviéndose hacia Carmela.*) Por el amor de Dios, señora . . .

CARMELA. Cálmese, señora, cálmese. Puede usted estar segura de que mi esposo hará que todo se arregle satisfactoriamente.

SRA. TORRES. (*Yendo hacia don Ricardo.*) Perdóneme, señor, que 25 haya venido a importunarlo . . . Pero usted hubiera hecho lo mismo por un hijo suyo . . .

DON RICARDO. Esté usted tranquila, señora. Yo estoy convencido de la inocencia del ingeniero. Le doy mi palabra de que haré hoy mismo cuanto esté en mi mano para que su hijo quede en libertad.[76] 30

SRA. TORRES. (*Tomándole las manos.*) ¡Gracias, señor! ¡Ya sabía yo que usted era un hombre de buen corazón! ¡Dios se lo ha de pagar![77] (*Se enjuga las lágrimas.*)[78]

---

[76] **cuanto . . . libertad**   all in my power to free your son.

[77] **¡Dios . . . pagar!**   God will surely reward you!

[78] **Se enjuga las lágrimas**   She wipes away her tears.

DON RICARDO. (*Conduciéndola hacia el vestíbulo.*) Váyase a su casa, señora, y espere tranquila. Probablemente todo esto no es más que una equivocación.

SRA. TORRES. (*Al pasar, a Beatriz.*) Un millón de gracias, señorita . . . (*Cruzando hacia Carmela.*) Perdone tanta molestia, señora 5 . . . Yo no hubiera sido capaz . . . Pero se trataba de mi hijo . . . Es lo único con que cuento en el mundo . . .

CARMELA. No tenga cuidado, señora. Me alegro mucho de que podamos hacer algo por él.

DON RICARDO. Espere usted en su casa. Yo le mandaré cualquier 10 noticia que tenga . . .

SRA. TORRES. (*Iniciando el mutis.*) Con el permiso de ustedes . . . Que Dios se lo premie a todos [79] . . . Un millón de gracias, señorita . . . Muy buenos días . . . (*Hace mutis por el vestíbulo y don Ricardo la acompaña.*) 15

CARMELA. (*Bajando hacia la derecha, se sienta en la silla de la derecha de la mesa.*) Pobre señora . . .

BEATRIZ. (*Cruzando hacia la izquierda, mientras Héctor, pegado al barandal* [80] *del mezanín, se escurre como una sombra hasta la izquierda del piano.*) ¡Ésa es una canallada! ¡Tenían que echarle 20 la culpa a alguien, y han escogido al más pobre, al más indefenso, en vez de buscar al verdadero culpable! (*Héctor, empavorecido, baja la cabeza. A don Ricardo, que reaparece por el vestíbulo.*) No quiero creer que tú seas cómplice de esto, papá. Si no haces algo en seguida para que Manuel quede libre, me formaré una 25 mala opinión de ti.

DON RICARDO. (*Un tanto indeciso, cruzando hasta detrás del sofá.*) Ten paciencia, hija . . . En realidad no sabemos cómo están las cosas . . . Zeyer puede haber hecho algo que no sea fácil deshacer . . . Pero, de todos modos, yo te prometo que todo se 30 arreglará . . .

BEATRIZ. (*Sentándose en el sillón de la izquierda, iracunda y nerviosa*) ¡Maldito Zeyer!

---

[79] **Que . . . todos** May God reward you all.
[80] **pegado al barandal** hugging the railing.

JORGE. (*Apareciendo por el vestíbulo. Trae también encima del frac el abrigo con el cuello levantado. Su gesto es de disgusto y de asco. Reacciona al ver a Beatriz.*) ¡Ah! ¿Estabas aquí?

BEATRIZ. (*Hundida en sus propias preocupaciones.*) [81] Ya lo ves.

JORGE. (*Avanzando hasta el respaldo del sillón izquierdo.*) Lo 5 dices tan tranquila. No tienes la menor idea de todas las andanzas en que me has metido por encontrarte [82] . . .

BEATRIZ. (*Igual.*) Lo siento.

JORGE. Vengo de un mundo de horror y de asco . . . ¡Las comisarías! Con los borrachos . . ., los rateros . . ., las prostitutas 10 . . ., los gendarmes . . . ¡Puah!

BEATRIZ. ¡Ah! ¿Pero me fuiste a buscar también a las comisarías? ¿Como a una criminal?

JORGE. ¿Sabía yo lo que podía haberte pasado? En una de ellas me hicieron entrar a la sección médica para identificar el cadáver de 15 una muchacha . . .

BEATRIZ. (*Con un estremecimiento.*) ¡Qué horror!

JORGE. ¡Sí! ¡Qué horror! El segundo de angustia que yo sufrí antes de que levantaran la sábana que cubría el cuerpo no se lo deseo a nadie . . . Era muy bonita . . . Y pensar que en este momento 20 su familia debe suponerla llena de salud, disfrutando de la vida . . ., o, quizá, la busca con el mismo temor con que te buscábamos a ti . . . (*Con los nervios deshechos,*[83] *se hunde en el sillón de la derecha.*) ¡Es espantoso!

CARMELA. (*Levantándose, conmovida, va hasta él y lo oprime por* 25 *los hombros.*[84] *Héctor, muy lentamente, avanza hasta la mesa de la derecha.*) Estás cansado . . . Tienes los nervios alterados [85] . . ., voy a prepararte una taza de tila . . .

JORGE. No . . ., no quiero nada . . . Tengo revuelto el estómago [86] . . . 30

---

[81] **Hundida . . . preocupaciones** Immersed in her own worries.

[82] **No . . . encontrarte** You can't imagine all the running around I have been doing trying to find you.

[83] **Con los nervios deshechos** Deeply upset.

[84] **y . . . hombros** puts her hands on his shoulders.

[85] **Tienes . . . alterados** You are upset.

[86] **Tengo revuelto el estómago** I have an upset stomach.

ALICIA. (*Apareciendo por el comedor, con un vestido modesto, despeinada, sin delantal ni cofia, provista de escoba, plumero y trapo para hacer el aseo.*) Buenos días, señora. Buenos días, señor.

CARMELA. (*Es la única que contesta.*) Buenos días . . . (*Alicia se da cuenta de que las lámparas están encendidas.*[87] *Y como ya es* 5 *pleno día y por la ventana del mezanín entra rayo de sol, apaga la lámpara de la izquierda del sofá y cruza para apagar la de la mesa de la derecha.*)

DON RICARDO. Lo que nos convendría a todos ahora es tomar un descanso,[88] que bien lo necesitamos. 10

BEATRIZ. (*Levantándose rápidamente.*) ¡Ah, no, papá! Tú vas a ir a ver el asunto de Manuel.[89]

DON RICARDO. Bueno, hija . . . Supongo que cuando menos me permitirás que me dé un baño[90] y me cambie de ropa . . . (*Cuando Alicia está apagando la lámpara de la derecha, se oye* 15 *sonar el timbre de la puerta. Alicia hace mutis por el vestíbulo.*)

CARMELA. (*A Jorge, dándole unas palmadas.*) Anda, hijo, vete a acostar. Eso te compondrá.[91] (*Jorge se levanta con fatiga. A Héctor.*) Tú también, Héctor, ve a dormir un rato.

HÉCTOR. (*Muy apagado.*)[92] Yo no tengo sueño, mammy. 20

CARMELA. No importa. Vámonos todos. Alicia va a hacer ya la limpieza. (*Sube hasta el pie de la escalera del mezanín y Jorge va tras ella. Se detienen porque Alicia anuncia desde la puerta del vestíbulo.*)

ALICIA. Está aquí el señor Torres. 25

BEATRIZ. (*Petrificada.*) ¿Manuel?

DON RICARDO. (*Al mismo tiempo.*) ¡No es posible! Que pase, que pase . . . (*Cruza hasta el piano para recibirlo.*)

ALICIA. Pase usted, señor. (*Sube al mezanín para apagar la lámpara y luego hace mutis por el comedor.*) 30

---

[87] **las lámparas están encendidas**   the lights are burning.
[88] **Lo . . . descanso**   What would be good for us all now is to take a rest.
[89] **Tú . . . Manuel**   You're going to take care of the matter concerning Manuel.
[90] **cuando . . . baño**   you will at least allow me to take a bath.
[91] **Eso te compondrá**   That will make you feel better.
[92] **Muy apagado**   In a very weak voice.

MANUEL. (*Apareciendo por el vestíbulo, con el abrigo sobre el «smoking».*) Perdóneme, don Ricardo.

BEATRIZ. (*Subiendo rápidamente por la izquierda del sofá.*) ¡Manuel!

MANUEL. (*Cruza para salir al encuentro de Beatriz, a quien toma de las manos. Desde allí se vuelve a don Ricardo.*) Pensaba venir 5
a verlo más tarde, pero las cosas se han precipitado de tal manera [93]
que me he visto obligado . . .

DON RICARDO. (*Bajando hasta el extremo derecho del sofá. Carmela y Jorge regresan hasta el piano un poco más abajo.*) Pero ¿no lo habían detenido a usted? Su mamá vino a avisarnos . . . 10

MANUEL. Sí. Zeyer hizo desaparecer las actas de la destrucción de sueros y declaró en contra mía.

DON RICARDO. ¿Entonces?

MANUEL. Conozco los procedimientos de Zeyer, de modo que siempre conservé en mi poder [94] una copia de esas actas. Y en cuanto supe 15
lo que pasaba, conseguí un amparo.

DON RICARDO. ¡Qué bien! Lo felicito . . ., ha sido usted muy hábil . . . (*Se acerca a él y le estrecha la mano.*)

MANUEL. Pero no es eso todo. Ayer mismo me dediqué a investigar el caso. Aunque no sé todavía quién es, he descubierto que hay 20
una persona que ha recogido de las farmacias vacunas vencidas, usando una credencial de los laboratorios. (*Don Ricardo, instintivamente, se vuelve a ver a Héctor. Éste, desamparado y encogido,[95] se sienta en la silla de la derecha de la mesa.*) Tengo pruebas de que Zeyer aconsejó a esa persona, lo mismo que al individuo que 25
se hizo pasar por periodista. Todo esto no ha sido más que una combinación hábilmente preparada [96] por Zeyer.

DON RICARDO. (*Baja al primer término, meditando.*) Pero ¿con qué objeto?

MANUEL. Para provocar el escándalo. ¿No se dio cuenta del interés 30
que puso en mezclarlo a usted en la cuestión? ¿En hacerle aparecer en todo momento como el principal propietario del negocio?

[93] **las . . . manera**   things have moved so fast.
[94] **de . . . poder**   so I always kept in my possession.
[95] **desamparado y encogido**   helpless and frightened.
[96] **una combinación hábilmente preparada**   a plan very skillfully prepared.

DON RICARDO. Sí, sí . . . Pero no veo . . .

MANUEL. El quería quedarse con los laboratorios; pero como usted se había negado a venderle sus acciones, buscó un procedimiento torcido para obligarlo. Sabía que el escándalo iba a afectarlo de tal modo, que usted se retiraría cediendo su parte por cualquier 5 cosa.

DON RICARDO. (*Preocupado, haciendo asociaciones de ideas, se sienta en el sillón de la derecha.*) Sí, eso es muy claro . . . Pero . . . es que el escándalo iba a perjudicarlo a él también . . .

MANUEL. No . . . Ésa es la diferencia entre usted y él. Él no tiene 10 arraigo en este país . . . No tiene tradición ni antecedentes . . . No tiene un nombre, ni una familia, ni una posición social que cuidar . . . No tiene más que dinero, y no le importa otra cosa. Las armas con que está luchando contra usted resultan, entonces, forzosamente desiguales . . . (*Don Ricardo acepta la terrible* 15 *verdad y se queda anonadado. Manuel baja por la izquierda del sofá.*) Todo eso es lo que pensaba decirle a usted más tarde, pero Zeyer está actuando con tanta rapidez, que pensé que era preferible tomar providencias inmediatas [97] para defenderse. El personal de los laboratorios tiene motivos suficientes para ir a la huelga, y 20 está dispuesto a decretarla hoy mismo. De esa manera podremos atajar y desenmascarar a Zeyer.

DON RICARDO. (*Se levanta y cruza a la izquierda, meditando. Se vuelve desde la chimenea y habla gravemente, con resolución. Beatriz baja por la izquierda del sofá, a quedar entre él y Manuel.* 25 *Carmela y Jorge bajan por la derecha, cerrando un semicírculo, del que, naturalmente, queda fuera Héctor.*) Pues no voy a luchar contra Zeyer. Vamos a dejarlo que se quede con el negocio.[98] Que se lleve todo el dinero que quiera. No me importa el escándalo. Claro que me ha perjudicado . . . Entre otras cosas, no puedo 30 seguir al frente del Banco. Iré hoy a presentar mi renuncia. Pero todo esto me ha hecho un gran bien. Me alegro mucho de que las circunstancias me hallan llevado a tomar esta resolución. Porque ahora sé que más importante que el dinero y el éxito y la posición

[97] **tomar providencias immediatas** to take immediate measures.
[98] **que . . . negocio** let him keep the business.

social, es la unión, la paz y el afecto de nuestra familia. Buena o mala, con todos sus defectos y todas sus imperfecciones, es nuestra familia. No tenemos otra. Y sólo de ella podemos dar y recibir alguna satisfacción. Vamos a olvidarnos de Zeyer y los laboratorios. Vamos a juntar lo poco que nos dejen [99] y empezaremos a trabajar 5 de nuevo, modestamente, pero todos juntos, sin celos, diferencias ni rivalidades, por el bienestar de todos y cada uno. (*Con malicia.*) Contamos con usted, Manuel.

MANUEL. (*Encantado.*) Incondicionalmente, don Ricardo.

DON RICARDO. Y olvídese usted también de seguir investigando quién 10 tuvo la culpa o quién no la tuvo. A nosotros no nos importa ya. Que se encargue de averiguarlo Zeyer, si es que no lo sabe ya, y que se ocupe de que le apliquen el castigo que merezca al verdadero culpable, si es que todavía le interesa. (*Con oculta intención.*) Ése será, al mismo tiempo, su castigo. (*A las últimas palabras de* 15 *don Ricardo, Héctor, empavorecido, se levanta. Luego, humillado, deshecho,*[100] *hace mutis por la biblioteca, sin que nadie lo advierta.*) Y ahora, a dormir, que bien merecido lo tenemos. (*A Manuel.*) Vaya usted a tranquilizar a la pobre de su mamá, que está muy angustiada, y véngase a la noche para que hablemos. 20

MANUEL. Con mucho gusto, don Ricardo. (*En este momento se oye un disparo de pistola en la biblioteca. Hay un desconcierto de un segundo, al cabo del cual, Carmela, notando la desaparición de Héctor, con un grito corre despavorida a la biblioteca.*)

CARMELA. ¡Héctor! (*Jorge va también rápidamente hacia la biblio-* 25 *teca, pero al llegar a la puerta recibe una impresión dolorosa que lo paraliza y lo obliga a volverse.*)

BEATRIZ. (*Gritando casi al mismo tiempo que Carmela, corre hacia la biblioteca.*) ¡Héctor! (*Jorge la detiene. Ella ahoga el llanto sobre el pecho de su hermano, que la abraza, a la vez que se oye* 30 *dentro el llanto desconsolado de Carmela.*)

VOZ DE CARMELA. ¡Héctor! ¡Se ha matado! ¡Está muerto! ¡Muerto! ¡Hijo! ¡Hijo! ¡Hijo mío! ¿Por qué has hecho esto? ¡Héctor! (*Don Ricardo, que se había quedado rígido, tiene un impulso y da unos*

---

[99] **Vamos . . . dejen** Let's put together the little that they leave us.
[100] **humillado, deshecho** humiliated, broken up.

pasos hacia la biblioteca. Pero a las palabras de Carmela se detiene, vacila un momento y regresa con pasos lentos, débiles, hasta la derecha del sofá, donde se deja caer hecho pedazos [101] *y se cubre la cara con las manos para ocultar sus lágrimas. Manuel, apesadumbrado, se acerca a él y le oprime el hombro con la mano como una* 5 *muestra de condolencia y simpatía, mientras cae el telón.*)

TELÓN   FINAL

[101] **se . . . pedazos**   he slumps down on the sofa, deeply anguished.

Vocabulary

The following types of words have been omitted from this vocabulary: (a) exact or easily recognizable cognates; (b) well-known proper and geographical names; (c) proper nouns and cultural, historical, and geographical items explained in footnotes; (d) individual verb forms (with several exceptions); (e) regular past participles of listed infinitives; (f) some uncommon idioms and constructions explained in the footnotes; (g) diminutives ending in **-ito** and **-illo** and superlatives ending in **-ísimo** unless they have a special meaning; (h) days of the week and the months; (i) personal pronouns; (j) most interrogatives; (k) possessive and demonstrative adjectives and pronouns; (l) ordinal and cardinal numbers; (m) articles; (n) adverbs ending in **-mente** when the corresponding adjective is listed; and (o) some simple prepositions.

The gender of nouns is not listed in the case of masculine nouns ending in **-o** and **-ón** and feminine nouns ending in **-a, -bre, -dad, -ez, -ión, -tad,** and **-tud.** A few irregular plurals, such as **veces**, are listed both as singular and plural. Most idioms and expressions are listed under their two most important words. Radical changes in verbs are indicated thus: **(ue), (ie, i),** etc. Prepositional usage is given in parentheses after verbs. A dash means repetition of the key word. Parentheses are also used for additional explanation or comment on the definition.

Many of the above criteria were not applied in an absolute fashion. Although the student is strongly urged to make "educated guesses" at the meanings of words without looking them up, where it seemed likely that an average second-year student might not understand a particular term, it was included.

ABBREVIATIONS

adj.	adjective	*Mex.*	Mexicanism
adv.	adverb	*n.*	noun
f.	feminine	*p.p.*	past participle
Fr.	French	*pr.p.*	present participle
interj.	interjection	*pl.*	plural
m.	masculine	*v.*	verb

abatido downcast, dejected, exhausted
abatimiento suffering, depression, low spirits
abolido abolished
abrazar to embrace

abrazo embrace
abrigar to harbor, shelter
abrigo coat
abrochar to button
abuelear to take after the grandparents

abusar to take advantage
acabar (de) to have just
acaso perhaps
acceder to agree, accede
acción share of stock
acercarse to approach, go near
acertado right; plausible; correct
acicalado spruced up
acierto success
aclaración clarification
acometer to undertake
acomodo work, job, position
aconsejar to advise
acorralado cornered, trapped
acostarse (ue) to go to bed
acostumbrado accustomed
acotación stage direction
actas records
actual *adj.* present
actualidad present time
ademán *m.* gesture
además *adv.* besides
adquirir (ie) to acquire
advenedizo newcomer
advertir (ie) to notice; —**se** to realize
afecto affection, love
afectuoso affectionate
aferrarse (a) to cling (to), stick (to)
afortunadamente fortunately
afuera *adv.* outside
agarrar to get, grasp; —**se** to grab
agitado excited
agradar to please
agradecer to be grateful
agüita liquid
ahogado choked up; overwhelmed
ahogar to muffle, stifle, smother
ahorita right now
aislado isolated
ajetreo confusion, movement
ajuareado furnished
alabar to praise
alcance *m.* reach, scope, extent, range, capacity
alcanzar to achieve
alegrarse to be glad
alegría joy
alerta on the alert, watchful, alert
aliarse to ally oneself
aliviado relieved
almacén *m.* department store
alrededor around

altanero haughty
altavoz *m.* loudspeaker
alterado disturbed, upset
alternar to associate
altivo haughty, proud
alumbrado lighted, lit up
amabilidad kindness
amanecer to dawn
amargo bitter
amargura: con— bitterly
ambiente environment
ambos both
amenazador *adj.* threatening
amenazar to threaten
amistad friendship; friend
amo master
amontonado in piles, piled up
amparo protection; aid; support
amplia wide
ampolleta vial
ancho *n.* width
andén *m.* platform
angustia anguish
anonadado stunned
anormal abnormal
antecedentes *m., pl.* background
antepasado ancestor
anterior *adj.* previous, preceding
anuncio advertisement
apagar to turn off; to muffle
aparecer to appear
aparentar to pretend to be; to affect
apartarse to go (away)
apellido last name, surname
apenado sad, sorry
apenas scarcely
apesadumbrado grieved, distressed
aplazamiento postponement
aplazar to delay, postpone
apodo nickname
apoyado resting
apoyarse to lean
apoyo support
aprovecharse to take advantage
apunte m. note
archivar to file
arisco defensive, churlish, watchful
arrabal *m.* lower district, slum
arraigo roots
arranque *m.* beginning
arreglar to prepare, fix, arrange, pack, take care

arriba above
arrinconarse to go to a corner
arrojar to throw
asco disgust
asegurar to assure
aseo cleaning
asentar (ie) to establish, stabilize
así *adv.* like that, thus, so
asiento seat
asir to grab, seize
asomarse to lean over, lean out
asombrado surprised, amazed
asombro astonishment
aspaviento dread, consternation
asunto matter, business matter, subject
asustado scared, frightened
atajar to stop
atardecer *m.* evening, dusk
atemorizado fearful
atender (ie) to listen, assist, pay attention
aterrado terrified
aterrorizado terrified
atravesar (ie) to cross
atreverse to dare
atrevimiento boldness
atribulado grieved, sad
atropelladamente hurriedly
atropello outrage, injustice
aturdirse to become senseless; to get drunk
aturdido confused
audífono receiver
auge *m.* peak
avant-première *Fr.* preview
avergonzado ashamed
averiguación inquest, investigation
averiguar to find out
avisar to notify, let know, call

baboso idiot
bajar to come down, go down, get off
bajo in low voice; low
bala bullet
banquillo piano bench
bañarse to take a bath, bathe
barandal *m.* railing
barato inexpensive, cheap
barbilla chin
barrera side; protective barricade in bull-ring where the matador takes refuge

basura garbage
bata house coat, robe
bazar *m.* store; — **de antigüedades** antique shop
belleza beauty
besar to kiss
bienestar *m.* welfare
bienvenido welcome
blusa blouse
boda wedding; —s wedding; **viaje de** —s wedding trip
bolsa purse, pocket, bag
borrar to erase
botella bottle
bondadoso kind
borracho drunkard
botica drug store
bribón scoundrel
brillo glow
broma joke
bromear to joke
bruscamente suddenly, roughly
¿Bueno? Mexican for "Hello" on answering the telephone
burdo crude
buey *m.* ox
burgués middle-class
burlarse to make fun of
burlón *adv.* mockingly
burro donkey; *adj.* stupid
buscar to look for, search

cabeza head; — **de playa** beachhead
cabo end; **al — de** after
caja box
cajero cashier
cajón drawer
calcado copied
calidad quality
callar to keep quiet; **a** — keep quiet; —**se** to be quiet
calumnia false accusation
calvario suffering
cambalache *m.* trade, deal
cambiar to change
cambio *n.* exchange
caminar to walk
campana bell
canallada despicable act
canapé *m.* appetizer
candil *m.* lamp
capaz capable

capitalizar to capitalize
cara *n.* face
cárcel *f.* jail
careta mask
cargado loaded
cargamento load
cargo charge
cariño love
cariñoso affectionate
caro expensive
carpeta portfolio
carrera career
casamiento marriage
casarse to get married
castigar to punish
castigo punishment
cataplasma poultice
casualidad coincidence
cavilar to ponder, think, meditate
ceder to give up
celebrarse to take place
celos *m., pl.* jealousy
cena supper
cenar to have supper
cerciorarse to make sure
cerebro brain
ciego blind
cierto true
cigarro cigarette
cine *m.* movies
cínico *adj.* cynical
cinismo cynicism
cintura waist
cita appointment
claro *adj.* clear, light; **ojos —s** blue or grey eyes; *interj.* of course
codearse to rub elbows
cofia maid's head-piece, coif
coger to pick up
cohibido restrained, thwarted, timid, crestfallen
colegio preparatory school
colgar (ue) to hang
colocar to place
colono settler
comedor *m.* dining room
comerciante *m.* business man
comisaría police station
comodidad comfort
compatriota *m. or f.* fellow citizen, compatriot
competencia competition

complacido glad
cómplice *m. or f.* accomplice
componer to fix
compostura composure
comprobado proved, verified
compromiso engagement, obligation, dilemma, problem
compungido remorseful
con with; **— cansancio** wearily, tired; **—permiso** excuse me
condescendiente condescending
conducir to lead, to conduct
confianza trust
confiar to trust
conformarse to agree with
conjunto grouping, the total group
connacional fellow citizen
conocedor *m.* expert, connoisseur
consagrada recognized
conseguir (i) to get
consejo advice
consentir (ie) to spoil (a child)
consignación consignment
constar to realize, appear
contar (ue) to count, tell; **— con** to count on
contener (ie) to repress, contain; **— las lágrimas** to hold back one's tears
contenido contents
contundente forceful
convenir (ie) to be suitable, convenient
copa glass
coquetería coquetry, flirting
corbata tie
cordón telephone cord
corregir (i) to correct, straighten out
coscorrón wack, blow
costoso expensive
cretino idiot
criada maid, servant
criatura child
criollo a person of Spanish parents born in America
criticable censurable
cronista *m. or f.* reporter
cruzar to cross
cuadra block
cuadro scene (of a play)
cualquier any
cuate *m., Mex.* friend

cubrirse to cover
cuello collar
cuidadoso careful
cuidar to take care
culpa blame
culpable guilty
culto cultured
chal *m.* shawl
chamaco boy
changuita *Mex.* young female servant
chantaje *m.* blackmail
charlar to chat
charola tray
charro Mexican cowboy
chiquillo child
¡Chist! *interj.* Shhh!, Hush!
choque *m.* clash

daño harm
dar to give; —se **cuenta (de)** to realize, to notice
datos *m., pl.* information, data
de of, from; — **todos modos** anyway
debajo under
deber ought to, should; —se **a** to belong to; *n., m.* duty
débil weak
decepción disappointment
declarar to give testimony, to testify
decretar to declare
definitivo definitive, conclusive, final
dejar to leave, allow, permit; — **de** to stop, fail to; — **en paz** to leave alone
delantal *m.* apron
delectación pleasure
delegación police station
demás: los — the rest
demudado pale
denuncia accusation
deprimido depressed
derecha *n.* right hand side
desabrochado unbuttoned
desadaptado maladjusted
desafiante defiant
desagrado *n.* distaste
desahogarse to give vent to one's feelings
desahogo outburst
desaliento discouragement
desaparecer to disappear
desaprobación disapproval

desarmador screwdriver
desarrollo development
desatornillar unscrew
desbaratarse to break up
descanso *n.* rest
desconcertado disconcerted, upset, uneasy
desconcertante disconcerting
desconcertarse (ie) to be disconcerted, lose composure
desconcierto disconcertment, discomposure
desconfiado suspicious
desconfianza mistrust
desconocido unknown
descuidadamente carelessly
descuidado careless
descuidar not to worry
descuido carelessness
desdén *m.* disdain
desdeñado disdained
desdeñoso disdainful
desdoblar to unfold
desenchufar to unplug
desenmascarar to unmask
desenvoltura ease, free and easy manner
desenvolver (ue) to unwrap; —se to manage
desenvuelto frank, forward, bold
desfallecido faint
desgajarse to become separated
desgracia misfortune; **por** — unfortunately
desgraciadamente unfortunately
desgraciado unfortunate
deshacer to undo
desigual unequal
desilusión disappointment
desleal disloyal
deslizarse to slip, slide
deslumbrante stunning, dazzling
desmesurado excessive, extreme
desolado desolate
despacho office
despavorido horrified
despechado dejected, resentful
despedida farewell
despedirse (i) to say good-bye
despeinado dishevelled
desperdiciar to waste
despertar (ie) to awake

déspota despotic; *n., m.* despot
despreciable undesirable
despreciar to despise, look down, belittle
despreocupado carefree
desquitar to get even
destruir to destroy
detener (ie) to stop; —**se** to stop oneself
devolver (ue) to return
día: de — daylight
dichoso happy
digno worthy
dinerito spending money
dirigente *m. or f.* leader
dirigirse (a) to go towards; to address a person
discriminar to discriminate
disfrutar to enjoy
disgustado annoyed
disgusto disagreement, unpleasantness
disimular to hide, disguise, pretend
disparo shot
dispensar to pardon, excuse
disperso scattered
disponerse (a) to get ready to
disponible at hand
dispuesto ready
distinto different
divertido amusing, amused
divertirse (ie) to amuse oneself, have a good time
doblado folded
dolido hurt
doloroso painful
dorado golden
dudar to doubt
dueño owner

echar to throw
educado well mannered, educated
efectivamente actually
efectivo: en — in cash
efecto: en — actually, really
eficaz effective, satisfactory
efusividad effusion
elogio praise
embarazoso embarrassing
embargo: sin — nevertheless
empavorecido terrified
empeñarse (en) to insist (on)
empleado employee

emplear to employ, use
empolvarse to gather dust
empresa enterprise
enamorar to make love; —**se** to fall in love
encaminarse to go towards
encanto enchantment
encargarse (de) to take charge of, take responsibility for, take care of
encender (ie) to light; to turn on the light
encendido turned on
encima above, on top
encinta pregnant
encogido forlorn
encomendar (ie) to entrust
enconcharse to withdraw within oneself
encuentro meeting
enchufar to plug in
endurecido hardened
enérgico firm
enfrentar to come face to face
enfurecer to infuriate
engañar to deceive
engrandecimiento enhancement, enlargement
enojado angry
enojarse to become angry
enredo mess
enronquecido hoarse
enterado informed, aware
enterarse to find out, discover
entregar to hand over
envase *m.* container
envejecer to grow old
equilibrado balanced
equivocación mistake
equivocado mistaken
equivocarse to be mistaken
erguido erect, tense, stiff
erguirse to stand erect
esbelto slim
escabullirse to slip out
escaparate *m.* show window
escalera staircase, stairs
escalón *m.* step
escena setting, stage
esclarecer to clear; to determine
esclavitud slavery
escoba broom
escoger to choose

escritorio desk
escuchar to listen
escurrirse to slip out
esforzarse (ue) to try, make an effort
esmirriado emaciated, thin
espalda back
espantoso frightful, frightening
especie *f.* kind, type
espejo mirror
esperar to wait, hope, expect
espiar to spy on
esquivar to avoid
estallar to blow up, explode, burst
estancia room
estar to be; — de acuerdo to agree; — obligado to be forced
estimación esteem
estirado stuffy
estoico *adj.* stoic, stoical
estola stole
estrechar to hug, embrace, squeeze, stretch, press; — la mano to shake or squeeze someone's hand
estrella star
estremecimiento shudder
estrujar to crush
etiqueta: vestido de — formal dress
evadir to evade
evitar to avoid; to prevent
exaltado excited
exigir to demand
éxito success
extranjero foreign
extrañar to puzzle; to miss
extraño strange, foreign

fábrica factory
fabricar to manufacture; — en serie to mass-produce
falda skirt
falta lack
faltar to lack, need
farmacia drug store
fastidiado bothered, annoyed
fecha date
felicidad happiness
felicitar to congratulate
feo ugly
fiar to trust
fijamente fixedly, intensely, firmly
fijar to fix; —se (en) to notice
filmar to film

firma company
firmar to sign
fingir to pretend
fino well-bred, well mannered, high class
florero flower vase
fondo background
frac *m.* tails, full-dress coat
fracasar to fail
frenético angry, mad
frente *f.* forehead
fresco fresh, young looking
fuente *f.* source
fulminante angry
furtivamente without being seen

ganar to earn
garganta throat
gastar to spend
gasto expense, expenditure
gendarme *m.* policeman
genio genius
gerente *m.* manager
gesto face, look, appearance, gesture
glándula gland
golpe *m.* blow
golpear to hit
grandeza grandeur
gremio union
gripe *f.* cold
gritar to yell, shout
grito *n.* yell, shout
grosero unrefined, coarse
guante *m.* glove
guardar to put away, keep, guard
güerito *Mex.* blond
güero *Mex.* blond
guiño wink
gusto pleasure, taste; dar — to please

habitación bedroom, room
habitualmente usually
hace: — años years ago
hacer to do, make; — caso to pay attention; — falta to need; — intento to try; — mutis to leave the stage; — presión to insist
harto plenty
hecho fact
heredar to inherit
herido *adj.* hurt
herir (ie) to hurt, wound

hielo ice
hipotecar to mortgage
hispanizante Hispanic
hogar *m.* home
hojear to leaf through
hombro shoulder
honrado honest
horrendo horrible
horrorizarse to be horrified
hotelero hotel keeper, innkeeper
huelga strike
huella trace
humilde humble
humillado humiliated
humillar to humble
hundir to sink

ignorar to be ignorant of, ignore
igualdad equality
implorante imploring
importar to matter
importunar to bother
impotencia helplessness
incertidumbre uncertainty
inconveniente *m.* obstacle, objection
incorporarse to get up
inculto ignorant
indagar to find out, investigate
indeciso undecided
indefenso defenseless
indefinido common, undistinguished
indicar to point out
indicio indication
indígena *m. or f.* Indian
indigenista *adj.* Indian
indignado angry
indigno unworthy
indolente lazy
inesperado unexpected
ingeniarse to show ingenuity
ingeniero engineer
inmutarse to change, alter; to react
inquebrantable irrevocable
inquieto restless, worried, anxious
intento attempt
interrumpir to interrupt
inversión investment
invertir (ie) to invest
ira anger
iracundo furious, angry
izquierda *n.* left-hand side

jarrón big vase
jefe *m.* boss, chief
joven *adj.* young; *m.* young man; *f.* young woman
juerga party
juez *m.* judge
junta meeting
jurar to swear
justamente exactly
juzgar to judge; **a —** judging

labio lip
lado side
ladrón *m.* thief
lágrima tear
lana *Mex.* peso
langostino lobster
lapicero mechanical pencil
lastimar to hurt
lejos far
lengua tongue
lentamente slowly
lento slow
levantar to raise; **—se** to rise
ley law
ligeramente slightly
limpiar to clean
limpieza cleaning
listo ready; smart
locura foolishness, crazy thing
lograr to be able to, succeed in, achieve
luchar to struggle
lugar *m.* place
lujo luxury; **de —** elegant
lujoso luxurious

llanto weeping, crying, tears
llegar to arrive; **— a alcanzar** to achieve
llenar to fill
llevar to carry
llorar to cry
lloroso in tears

malcriado spoiled
maldad evil, wickedness
maldito damned, cursed
maleta suitcase
malicia shrewdness, shyness
malvado evil
majadería folly, nonsense

mamarracho clown
mamotreto bulky book
manojito bundle
manchar to stain
mandar to send
manejar to take care of
marca trade mark, brand, label
marcar to dial
matar to kill
materia matter; — **prima** raw material
matraca junk, toy
medio environment, surroundings
medir (i) to measure, consider
meditar to think, meditate
mejilla chin
menos: al — at least; **a** — **de que**
 unless
menoscabar to undermine
menospreciar to underrate, belittle
mentir (ie) to lie
mentira lie
mentiroso liar
mercado market
merecer to deserve
merolico quack
mesero waiter
mestizo person of mixed blood (Indian
 & white)
mesura dignity, restraint
meter to put; —**se** to get involved
mezanín upper level
mezcla mixture
mezclar to mix; —**se** to get mixed up
 in, involved
milagro miracle
mimar to spoil
mirada look, glance
mismo same
mocoso child, brat
moda fashion
modales *m., pl.* manners
modismo idiomatic expression
modos *pl.* ways, means; **de todos** —
 at any rate
molestia trouble
molesto upset, disturbed, bothered
moneda money
morder (ue) to bite
mordida bite; blackmail
moreno dark in color; dark-haired,
 brunet
mote *m.* nickname

muebles *m., pl.* furniture
muerto (*p.p.* of **morir**) dead
muestra sign
muñeca wrist; doll
muro wall
mutis *m.* exit (theater)

nacer to be born
negar (ie) to deny; —**se a** to refuse to
negocio business, matter
nivel *m.* level
nobleza nobility
noruego Norwegian
notaría notary's office
novio fiancé

obligado compelled, forced
obra play
obrar to act
obscurecer to darken
obsequio gift
ocultar to hide
oculto hidden
ocuparse (de) to be in charge of
ofuscar to blind
ojo eye
olvidarse to forget
oportunamente opportunely; at the
 proper time
opuesto opposite
opuso (*p. p. of* **oponer**) opposed
orgulloso proud
orilla edge
oro gold
oscuras: a — in darkness
oscuridad darkness

paisaje *m.* landscape
paisano citizen, countryman
palmada pat on the back
pantalón trousers
papás *m., pl.* parents
paquete *m.* package
pararse to stop
parentela relatives
pariente relative
parlamento speech
particular *m.* subject, topic
pasado past; — **mañana** day after to-
 morrow
pasajero passenger
pasear to stroll, ride, take a walk

pásele come in
patín *m.* skate
patinar to skate
patria homeland, fatherland
patrón chief, boss
paulatinamente slowly
pausadamente slowly
payaso clown
pazguato idiot, fool
pecado sin
pecho chest
pedantería pedantry
película film
pena suffering, sorrow
penoso painful
pensamiento thought
pensativo pensive
perder (ie) to lose, to waste time
periodista *m.* journalist, newspaperman, reporter
perjudicar to harm
permanecer to remain
personaje *m.* character (in a play or novel)
pertenecer to belong
pesar to weigh; **a — de** in spite of
peso weight
piel *f.* skin
pieza play
piojoso lice infested
placer *m.* pleasure
platicar to converse, chat
playa beach
plumero duster
poco: a — shortly, before long
polémico polemical, controversial
polveado powdered
poner to put; **— en claro** to explain
ponerse to put on
populoso crowded
por for; by; through; **— desgracia** unfortunately; **— fuerza** by force; **— grado** willingly; **— impulso** impulsively; **— lo pronto** for the time being; **— otra parte** on the other hand; **— supuesto** of course
porte *m.* bearing
porvenir *m.* future
precipitadamente in a hurry
precipitado quick
precipitar to hasten

precipitarse to rush
premiar to reward
prensa press, newspapers
preocupación worry
preocuparse to worry
prescindirse to do without
presionar to press
prestar to lend; **— atención** to pay attention
prestigiado of great prestige
prietito dark
prieto dark
prisa hurry
probar (ue) to taste
Procuraduría District Attorney's Office
procedimiento procedure
profesionista professional
profundamente deeply
pronto soon; **de —** suddenly
propietario owner
propio own
proporcionar to furnish, supply, give
proscenio forward part of the stage
proteger to protect
provecho profit
proveer to provide, equip, supply
provisto *p.p. of* **proveer** provided, equipped, supplied
proyecto proposal, project, report
prueba proof
prurito eagerness, great desire
puah! *interj.* ugh!
pudor *m.* modesty
puño fist

quebrantar to break
quedarse to remain, stay
queja complaint
quejumbroso plaintive, complaining
químico chemist

rabia anger
ramo bouquet
rancio old
rapidez: con — rapidly
raro strange
ratero pickpocket
rato while
raza race (people)
rebosante overflowing
recado message
recámara chamber

recapacitar to mull over in one's mind
recelo distrust
recelosamente cautiously
recibimiento greeting
reclamar to claim
recobrar to recuperate
recoger to pick up; —**se** to withdraw
reconocer to recognize
reconvención reproach
reconvenir (ie) to reproach, scold
recortar to cut
recorte *m.* clipping
recrearse to take pleasure
recto just, upright
recuerdo memory
rechazar to reject
referirse (ie) to refer to
regaderazo shower
regalar to give a present
regalo present, gift
regañar to scold
regreso return
rehuir to avoid; to refuse
reír (i) to laugh
reloj *m.* clock; — **despertador** alarm clock
relucir to shine
remedio remedy, alternative
remilgoso *adj., Mex.* delicate
remordimiento remorse
rendir (i) to yield; —**se** to submit
renuncia resignation
reparar (en) to notice, pay attention to
repentinamente suddenly
repisa mantelpiece
réplica answer
replicar to reply, answer
reponerse to gain composure
representando acting
repuesto (*p.p. of* **reponer**) composed
requerimiento demand
resentido resentful
resentirse (ie) to resent; to be resentful
respaldo back
responder to vouch for
resuelto decided
retirarse to leave, go, retire
retrasado late
retrasarse to be late
retrato portrait; — **al óleo** oil painting
revisar to check
rincón *m.* corner

risa laughter
rodear to surround
rodilla knee
rogar (ue) to beg
romper to break
ropa clothes
roto (*p.p. of* romper) broken
rotular to address
rubio blond
ruptura break

sábana sheet
sacar to get out
saco suit coat
sacudida *n.* shock
saludar to greet, say "hello"
salir to go out, come out; — **al encuentro** to come out to meet
salubridad health
salud *f.* health
sangre *f.* blood
salvo except
secar to dry
seco dry
seguida: en — near by, right next to; at once, immediately
según according to
seguridad self-assuredness
sellito label
sembrar to plant, sow
semejante similar
sencillamente simply
sentir (ie) to be sorry, regret; to feel
señalar to point
ser *m.* being
serenarse to calm down
serie: en — in series; **fabricar** — — to mass produce
sigilo caution, concealment, reserve; **con** — secretly
siglo century
signo sign
siguiente next, following
sillón *m.* arm chair
silvestre wild
similitud similarity
sindicato labor union
sinnúmero a great number
siquiera even; **ni** — not even
sirvienta maid
smoking *m.* tuxedo
sobre *m.* envelope

socio partner; — **capitalista** silent partner in a business enterprise
soirée *Fr.* evening party
solícito *adj.* solicitous
soltar (ue) to loosen, let loose
sollozo sob
sombra shadow
sonar (ue) to ring
sonreír (i) to smile
sonrosado pink
soportar to endure, withstand, tolerate
sorbo sip
sorprender to surprise
subgerente *m.* assistant manager
subir to go up, come up, rise, raise, climb
súbitamente suddenly
suceder to happen
sucio dirty
sueño dream, sleep
suerte *f.* luck
suficiencia self-confidence
suizo Swiss
sumamente extremely
suplicante pleading, begging
supón (from **suponer**) suppose
suponer to suppose
surgir to burst forth, issue, come out, spring forth
sustraerse to be indifferent; to withdraw

tachar to scratch out
tampoco neither
tanto: en — while
tardíamente slowly
tarea task
tarjeta card
taza cup
técnico technician
techo ceiling
tejer to knit
tejido knitting
telón curtain
temblar (ie) to tremble
temer to fear
temeroso fearful
temerse to be afraid
temor *m.* fear
tender (ie) to extend; to hand over
tenderete *m.* Mex. display of merchandise under a canvas canopy

tener to have; — **cuidado** to be careful; — **ganas de** to feel like, have desire for; — **la culpa** to be guilty; — **listo** to have ready; — **lugar** to take place; — **miedo** to be afraid; — **que ver** to have to do with; — **sueño** to be sleepy
tenue soft
término limit, boundary; **segundo** — middle distance (on a stage)
ternura tenderness
testigo witness
tila linden-blossom tea
timbre *m.* door bell
tinta ink
tinte *m.* hue (color), coloring
tirarse to throw oneself
titubear to hesitate
tocayo namesake
tomar to take; to drink; — **en cuenta** to take into account, consider
tontería foolishness
tonto foolish
torcido crooked
torear to fight; to put off
tostado tanned
trago drink
traicionar to betray; —**se** to betray oneself
trapo rag
trampa *m.* cheat, bum
transfigurarse change expression
tras (de) after
trastornado confused
tratar to try; to deal with; to treat; —**se de** to be a matter of, a question of
trato treatment
través: a — through
tropezar (ie) to run into; —**se con** to come across (something)
turbarse to become confused

umbral *m.* threshold
ungüento ointment
utilidad profit

vacilante unsure
vacío empty
vacuna vaccine
valerse (de) to make use of
velado covered, hidden

vencer to conquer
vencido (*p.p. of* **vencer**) outdated, expired
veneciano Venetian
venganza vengeance, revenge
ventaja advantage
ventajoso advantageous
verdadero true
vergüenza shame
vestido dress
vestir (i) to dress; *n.m.* dress, dressing
vez *f.* occasion, time; **de una —** at once; at the same time
viaje *m.* trip
viento wind
vigilar to watch
vigilia lack of sleep

víspera eve
vista eyesight
visto (*p.p. of* **ver**); **por lo —** evidently
vivaz vivacious, lively
viveza vivaciousness
vocal *f.* vowel
voltear to turn around
volver (ue) to return; **— a** to do again; **—se** to turn around
voz *f.* voice

ya now, already
yendo (*pr.p. of* **ir**) going
yerba grass, herb; **— silvestre** wild herb
yergue: se — (from **erguirse**) gets up
yerno son-in-law